合格するにはワケがある

脳科学×仕訳集

日商簿記3級

第4版

桑原 知之 著

ネットスクール出版

はじめに

近年の脳科学の発展には目覚ましいものがあり、脳の働きが随分と解明されてきています。それを**「簿記の学習に活用するにはどうしたらよいのか」**を思考し、“脳科学的に合理的”な学習ができるように本書を作成しました。

脳の働きと、本書の構成の関係は次のとおりです。

1．脳は、映像化することで記憶しやすくなる

⇒本書では、仕訳の場面を逐一イラスト化することで、その場面の主人公になって、各取引を学べるようにしました。

2．脳は、高校生くらいから、無意味な記憶が苦手になる

⇒単発の仕訳を覚えるのではなく、例えば固定資産（備品）なら、購入→減価償却→修繕→売却といった形で、関連する取引を一連のものとして学習できるようにしました。

3．寝る前に学んだことは、寝ている間に脳が整理してくれる

4．耳からの記憶が、長期記憶になりやすい

⇒１日の終わりには『夜寝る前に』のページで、その日に勉強した内容を、「仕訳から取引の内容を言う」という行動で復習し、口に出し、耳で聴くことによって脳を刺激し、寝ている間に頭の中が整理され、記憶に残るようにしました。

5．脳は、消去機能が特に優れている（だから人は忘れる）

⇒復習のタイミングは、エビングハウスの忘却曲線を考慮し、第１部から第５部で学習した内容と、翌日には同じものを、１週間後には数字だけが異なる問題を、３週間後には同じ内容でも、問題文の表現や数字が異なる問題を解けるように設定しました。

これなら「仕訳を覚えなきゃ」と苦労していたあなたの脳に、確実に浸み込んでいくはずです。

さあ、仕訳を機械的に覚えることは終わりにしましょう。
本書で、脳科学的に合理的な方法で簿記を理解し、仕訳をマスターして、合格の栄冠を勝ち取りましょう！

〜実に77点分が本書から出題される（改訂にあたって）〜

2020年の12月からネット試験が始まり、2021年6月の検定からは、統一試験（ペーパー試験）もネット試験と、同様の試験となります。
この試験では、仕訳問題が15題も出題され、配点は45点になり、さらに、これまで決算問題でしか出題されていなかった、決算整理仕訳も出題されるようになり、これに決算整理仕訳を用いて財務諸表を作成する第3問の配点35点（このうち3点は純利益の計算）を加えると、本書に掲載した仕訳だけで、なんと77点分もの内容となります。
このような状況を踏まえて、これまで収載していなかった決算整理仕訳のすべても加えて本書としました。
みなさんの合格に貢献する１冊になったと自負しております。ぜひご活用ください。

本書の使い方

学習ペースについては、本書のカバー裏に“合格スケジュール”がありますので、そちらも参照の上、自分に合ったペースで着実に学習を進めて下さい。

⇧(←学習した日)や○(←復習した日)をなぞって日付を入れ、計画的に学習を進めて、合格を勝ち取りましょう。

1日目

最初の仕訳(商品売買)を学び、寝る前に「夜寝る前に」で復習をします。

2日目

①「夜寝る前に」で、昨日学んだ仕訳の内容を思い出します。
②「復習(翌日)」の問題を解き、解けなかったところを、1週間後に備えて復習します。
③次の仕訳を学び、寝る前に「夜寝る前に」で復習をします。

3日目以降

①「夜寝る前に」で、昨日までに学んだ仕訳の内容を思い出します。こうすることで、既に学んだ内容を忘れることなく、記憶に遅着させていくことができます。
② 前日(2日目)に学んだ内容の「復習(翌日)」の問題を解き、解けなかったところを、1週間後に備えて復習します。
③ 次の仕訳を学び、寝る前に「夜寝る前に」で復習をします。

1週間(10日後)

「夜寝る前に」で確認しつつ、「復習(1週間後)」の問題を解き、解けなかったところを復習します。取引が理解できるようになったら問題集などで問題文の表現に慣れるようにしましょう。

3週間(30日後)

“学んだ内容が異なる表現で出題される”のは本試験の状況と同じです。本試験の問題だと思って「復習(3週間後)」の問題を解いてください。

目次

簿記と仕訳の基本

「仕訳問題が苦手」という方のために、「簿記と仕訳の基本」について説明しています。

基本１ ～ 基本10 まであるので、一通り目を通してみましょう。

また、３級の商業簿記の主要な勘定科目について、「資産・負債・資本・費用・収益・その他」と項目別に説明をしています。

簿記と仕訳の基本

基本 1　帳簿に記録するものは？

会社を経営していると、さまざまな出来事があり、その中でも、帳簿に記録する必要がある出来事を「**簿記上の取引**」といいます。

帳簿は、会社の家計簿のようなものです。帳簿に記入することから、「**簿記**」といいます。

貸したお金を忘れると、
返してもらえなくなる
かもしれないからね！

基本 2　簿記上の取引ってなんだろう？

資産・負債・資本・収益・費用の金額に増減が生じる取引を「簿記上の取引」といい、帳簿に記録します。

ポイント

資　産：現金、備品など、会社が持っているもの（財産）
負　債：借入金、未払金など、いずれ返す必要があるもの（債務）
資　本：資本金など返す必要のないもの（元手・儲け）
収　益：売上など、どれだけ稼いだのか示すもの（成果）
費　用：仕入原価など、稼ぐためにかかったもの（努力）

「電話で注文を受けた」だけでは取引にならないよ。
資産も負債も変わってないからね。
でも、「泥棒に盗られた」は取引になるよ。
資産が減っているものね！

基本３　仕訳ってなんだろう？

簿記上の取引を記録するには、ルールがあります。ルールに従って、取引を記録することを「**仕訳**」といいます。

共通のルールがないと、
他の人が見たときにわからないよね！

仕訳をするためのルールは、基本４ と 基本５ で学習します。

基本４　どのように仕訳する？

「**勘定科目**」と「**金額**」を用いて、取引について仕訳します。「勘定科目」とは、資産・負債・資本・収益・費用を、さらに細かく分けたものです。

「資産」だけじゃ、
「現金」なのか、「土地」なのか、わからないよね！

次のページより、**３級の出題範囲**となっている、**主要な勘定科目**を挙げておきます。

ポイント

・勘定科目とは「勘定→計算」、「科目→単位」という意味。
　つまり、簿記上の計算単位です。

●「資産」の勘定科目

現　　金	「通貨」の他に「金融機関に持ち込めばすぐに現金化できるもの（小切手、送金小切手、為替証書など）」を含む。“すぐに変わる” ことから「現金なヤツ」の語源ともなっている。
小口現金	営業担当の交通費など、少額の支払いのために、営業事務の人に渡しておく現金。 定期的に補充することが多い（定額資金前渡制度）。
当座預金	支払いのためだけに用いる預金口座。 この口座を開設することで小切手が発行できるようになる。小切手を発行することにより、当座預金は減少する。
普通預金	みんな知ってる普通の預金。実務上「普通預金○○銀行」と銀行名を付けて口座ごとに管理することもある。
定期預金	6か月定期、1年定期など、一定期間引き出せない預金。他の預金に比べて金利が高い。
受取手形	「受取った手形」の意。満期日が来れば、現金などで回収できる。
売 掛 金	未回収の、商品の販売代金。営業担当の部署で管理していることが多い。「掛」という字には「途中」という意味がある。
クレジット売掛金	売上の代金としてクレジットカードを提示されたときに計上される売掛金。カード会社に手数料を取られるため満額では計上できない。
電子記録債権	受取手形が電子化されたようなもの。
繰越商品	期をまたいで残っている商品。つまり期末の売れ残り商品。
貸 付 金	借用証書を受け取って他人に貸した金額。
手形貸付金	手形を受け取って他人に貸した金額。
従業員貸付金	貸付金のうち、特に従業員に貸した金額。
役員貸付金	役員に対する貸付金。「社長が会社のお金を持って行ってしまった！」というときに、仕方なく役員貸付金として処理する。現実、返ってこないこともある。
立 替 金	他人が支払うべきものを、立替えて支払った金額。
従業員立替金	立替金のうち、特に従業員に対して立替えた金額。
前 払 金	商品代金や広告費などの費用の代金を、前もって支払ったもの。

未収入金	未回収の、商品の販売以外の代金。総務部門など（営業以外の部署）で管理している。
仮払金	「仮」は「とりあえず」と置き換えればよい。つまり「とりあえず」支払った金額。通常、貸借対照表に記載されることはなく、決算で適切な科目に振替えられる。
受取商品券	我々の思う商品券で、もちろん資産。
差入保証金	事務所などを借りるさいに、貸主に支払う保証金。最終的に原状回復費用を差し引かれて返済される。
貯蔵品	名もなきその他の資産。切手や収入印紙の期末在庫に用いる。
仮払消費税	商品や固定資産などを購入したときに、代金とともに相手先に支払う消費税。決算まで納付額が決まらないので「仮払」となる。
仮払法人税等	当期の法人税等の一部を支払ったときに用いる。決算まで利益が確定しないため、税金も確定せず、「仮払」となる。
前払○○	前払保険料、前払利息、前払家賃など、費用を翌期の分まで支払ったときに用いる。
未収○○	未収利息、未収家賃など、当期の収益でまだもらっていないもの。
建物	本社建物、倉庫など。ちなみに犬小屋は人が入れないので備品。
備品	机、いす、本棚、パソコンなど。ちなみに会社で番犬を飼っていれば、犬小屋ごと備品。
車両運搬具	営業用の車や運搬用のトラック。ちなみに、暴れん坊将軍にとっては馬。
土地	事業目的で保有する土地。販売目的なら商品となる。

『受取手形』と『受取商品券』は「受取」と付くけど資産なんだよ。

●「負債」の勘定科目

支払手形	あとで「支払う手形」の意。満期日が来れば、当座預金などで支払う。ちなみに支払う気のないものは空手形。
買掛金	未払いの、商品の仕入代金。仕入担当の部署で管理していることが多い。商品を受け取り、代金を支払って“買った”ことになるので、買掛金はその途中の金額。
電子記録債務	支払手形が電子化されたようなもの。手形と異なり、収入印紙を貼らなくて済むので経費の節約となる。
前受金	主に商品の代金を、前もって受取ったもの。販売時に解消する。
借入金	借用証書を発行して他人から借りた金額。
役員借入金	会社にお金が無くなって、ピンチなとき、社長は自分個人のお金を会社に入れる。このとき計上される科目。このまま倒産すると社長は返してもらえなくなる。
手形借入金	手形を振出して他人から借りた金額。借用証書に比べて印紙代が安くリーズナブル。
当座借越	当座預金のマイナス残高。実質的には銀行からの借入金。当座預金は無利息なのにマイナスになると利息をとられる。理不尽。
未払金	商品の購入以外の未払いの代金。総務部門など（仕入以外の部署）で管理している。
仮受金	「とりあえず」受取った金額。通常、貸借対照表に記載されることはなく、決算で適切な科目に振替えられる。
未払○○	未払利息、未払家賃など、当期の費用でまだ支払っていないもの。
前受○○	前受利息、前受家賃など、収益を翌期の分まで受取ったときに用いる。
預り金	他人のものを一時的に預かった額。
従業員預り金	従業員から預かった金額の総称。
所得税預り金	従業員負担の所得税の支払いのために、給料から預かった金額。後で税務署に納付する。
住民税預り金	従業員負担の住民税の支払いのために、給料から差し引いて預かった金額。住民税は地方自治体に納める地方税であり、都道府県税と市町村民税のこと。

社会保険料預り金	従業員負担の社会保険料の支払いのために、給料から預かった金額。後で社会保険事務所に納付する。
仮受消費税	商品などを販売したときに、代金とともに相手先から受け取る消費税。
未払消費税	「仮払消費税＜仮受消費税」となったときに納付する消費税。結局、仮受けの超過分を納付するだけなので、会社の腹は痛まない。
未払法人税等	当期の決算を終えて、確定した法人税等の金額から仮払法人税等を差し引いたもの。決算の２か月後までに納付する。
未払配当金	株主総会で決議された配当金は、会場に来た株主に壇上から一斉にばら撒くわけではないので、いったんこの勘定で処理しておき、後日、支払いを行う。

『支払手形』は「支払」と付くけど負債なんだよ。

●「資本」の勘定科目

資本金	「体が資本です！」と言えば、体が『元手』つまり自由に使えるもの。
利益準備金	会社自体が稼いだもの（利益）のうち、会社法で「配当してはならない」と決められたもの。
繰越利益剰余金	前期から当期に繰り越してきた利益剰余金。当期純利益がこれに含まれる。

利益が出ると「繰越利益剰余金」が増えるよ！
損失が出ると「繰越利益剰余金」が減るよ！

「費用」の勘定科目

仕　　入	買ってきた商品の金額（原価）。 これが増えると商品有高帳に記入される。
売上原価	売れた商品の原価。 でも本当は「期首商品＋当期仕入－期末商品」で計算。
給　　料	働いてくれた従業員に支払うお金。 支払う立場なので、給料は費用になる。
広告宣伝費	広告するための費用。売上に対して広告費が40％の会社の商品100円を買うと、40円はその会社の広告費を負担したことになる。だから私は、派手に広告しているものは買わない。
発 送 費	商品などを発送するためにかかる当社負担の費用。
法定福利費	福利とは幸福と利益のこと。つまり社会保険料の会社負担分など従業員の幸福と利益のために会社が負担することが定められている額。
支払手数料	紹介料から振込手数料まで、いろいろなものがあるので、問題文に「手数料で処理」と指示される安心な科目。
旅費交通費	出張旅費が含まれる。
貸倒引当金繰入	来期の貸し倒れを見積もった当期の費用。来年を過ごすのに必要な保存食の補充費用みたいなもの。
貸倒損失	貸倒による損失。貸倒引当金の残高を超えたものと、当期発生した債権が貸し倒れたものの2つがあり、どちらもこの勘定。
減価償却費	「償却」は「費用化」の意。 したがって、価値が減って費用化したもの。
通 信 費	電話代、ネットの回線代、切手代など通信にかかる費用。
消耗品費	コピー用紙やボールペンなど、短期的（1年以内）に使ってなくなるものの購入代金。ちなみに1年超のものは備品。
水道光熱費	水道代、電気代、ガス代。
支払家賃	家賃を支払ったもの。
支払地代	地代を支払ったもの。駐車場代をこの勘定で処理することもある。

保険料	商品の流通にかける保険をイメージ。「支払保険料」とすることもある。ちなみに保険金を受け取ったら雑益。
租税公課	固定資産税や収入印紙代といった租税と、印鑑証明書の発行手数料などの公に課される費用を表す勘定。費用らしからぬエラソーな名前に注意。
修繕費	こわれたものを修繕するための費用。
雑費	その他の費用を一括りにしたもの。
支払利息	借入金などに対して支払う利息。
雑損	なぜかお金がなくなってしまったときに使う科目。内容不明。
固定資産売却損	土地や備品といった固定資産を帳簿価額未満で売却したときの損失。
保管費	商品などの保管に関する費用。
諸会費	町内会費から業界団体まで様々な会に支払う会費。初出は商工会議所の会費で出題される（たぶん）。
法人税、住民税及び事業税	利益にかかるメインの税金。これらには中間納付制度が採用されているので、期中に仮払法人税等が計上される。

「支払○○」「○○費」「○○料」「○○損」は費用の目印

●「収益」の勘定科目

売上	商品の売却額（売価）。
受取家賃	家賃を受け取ったもの。
受取地代	地代を受け取ったもの。人生、一度は計上してみたい科目。
受取手数料	手数料を受け取ったもの。
受取利息	貸付金や預金に対して受け取った利息。
雑益	その他の収益。なぜかお金が増えてしまったときにも用いる。
貸倒引当金戻入	来期の貸し倒れを見積もったら、現時点で貸倒引当金が多すぎたときに用いる差分の益。
償却債権取立益	過去に償却した（貸倒損失などとして処理した）債権の一部を取り立てることができたことによる利益。ちなみに、貸倒れた後に回収できる金額は債権額の5%くらいと思っておいたほうがいい。
固定資産売却益	土地や備品といった固定資産を帳簿価額超で売却できたときの利益。

「受取○○」「○○益」は収益の目印

基本 5　取引を２つの側面で考える？

仕訳を行うには、取引ごとに
「資産・負債・資本・収益・費用の何が増減したのか？」を**２つの側面**で考え、次のルールに従って勘定科目を記入します。

ルール

「資産」「費用」の勘定科目

⊕ 増えた　｜資産　費用｜　⊖ 減った

増えたら借方（左側）、減ったら貸方（右側）に記入

借　方　科　目	金　　額	貸　方　科　目	金　　額
増　え　た　ら		減　っ　た　ら	

左　側	右　側
借　方 かりかた	貸　方 かしかた

簿記では、
左側を「借方（かりかた）」、右側を「貸方（かしかた）」というよ！
「り」と「し」で覚えよう！

ルール

「負債」「資本」「収益」の勘定科目

⊖ 減った

負債　資本
収益

⊕ 増えた

減ったら借方(左側)、増えたら貸方(右側)に記入

借　方　科　目	金　　額	貸　方　科　目	金　　額
減　っ　た　ら		増　え　た　ら	

←　　→

金額については、１つの取引を２つの側面で見ているだけなので、**借方の金額と貸方の金額は必ず一致**します。

資産と費用は、左側がホームポジション（残高がある場所）
負債と資本と収益は、右側がホームポジション
常に、ホームポジション側で増え、逆側で減ります。

仕訳例

(1) 水道光熱費￥2,000を現金で支払った。

この取引を２つの側面で考えると、
①水道光熱費(費用)が増え、　→〔**左側に記入**〕
②現金(資産)が減っています。　→〔**右側に記入**〕

では、勘定科目を選択してみましょう。

勘定科目の選択

水道光熱費　(費用)の増加	現　　金　(資産)の減少

勘定科目が選択できたら、金額とともに記入します。

借方科目	金　額	貸方科目	金　額
水道光熱費	2,000	現　　金	2,000

仕訳の完成！
この仕訳は「借方、水道光熱費、2,000円、貸方、現金2,000円」と読みます。

⑵ 水道光熱費¥2,000と旅費交通費¥1,000を現金で支払った。

この取引を２つの側面で考えると、
①水道光熱費(費用)と旅費交通費(費用)が増え、 →〔左側に記入〕
②現金(資産)が減っています。 →〔右側に記入〕

では、勘定科目を選択してみましょう。

勘定科目の選択

水道光熱費 (費用)の増加 旅費交通費 (費用)の増加	現　　金 (資産)の減少

勘定科目が選択できたら、金額とともに記入します。

借方科目	金　額	貸方科目	金　額
水道光熱費 旅費交通費	2,000 1,000	現　　金	3,000

借方の勘定科目は、どちらを上に記入しても大丈夫です。ただし、勘定科目と金額が対応していなければいけません。

どっちが上でも大丈夫！

基本6　特殊な勘定科目

1．「資産のマイナス」となる勘定科目（評価勘定）

基本4 で学習した勘定科目以外に、特定の科目のマイナスを意味する勘定科目（評価勘定といいます）があります。

貸倒引当金	受取手形、売掛金といった債権のうち、回収できないと思われる金額を示す。債権のマイナスとなる勘定。
○○減価償却累計額	建物減価償却累計額、備品減価償却累計額、車両運搬具減価償却累計額など、固定資産のマイナスとなる勘定。

売　掛　金　　　　貸倒引当金

1,000円　　　20円

回収可能額 980円

- 売掛金や受取手形などの債権の期末残高から、貸倒れの見積額を差し引いた金額を、**実際に回収できる金額（回収可能額）**と考えます。
- 実際に得意先が倒産して、回収できなくなったわけではありません。そのため、**貸倒引当金（資産のマイナス）**を用いて、間接的に控除します。

売掛金が￥1,000、貸倒引当金が￥20の場合、￥980（＝￥1,000－￥20）が回収可能額になるよ！

建　　物		建物減価償却累計額
5,000 円	帳簿価額 3,500 円	1,500 円

●間接法では、建物減価償却累計額（資産のマイナス）を用いて、建物（資産）を間接的に減少させます。

建物が￥5,000、建物減価償却累計額が￥1,500の場合、￥3,500（＝￥5,000－￥1,500）が帳簿価額になるよ！

2.「その他」の勘定科目

借方残高となっているときと、貸方残高となっているときとで意味が異なる勘定科目があります。

現金過不足	実際の現金有高が帳簿残高と異なっていた場合に、一時的に用いる勘定科目。
損　　　益	決算のときに、収益と費用を集め当期純利益または当期純損失を算定するために用いる勘定。

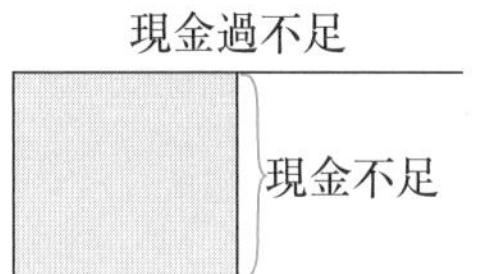

●現金過不足勘定が**借方残高**の場合、現金不足の状態です。

現金過不足

現金過剰

●現金過不足勘定が**貸方残高**の場合、現金過剰の状態です。

損　益

費用項目

収益項目

損失

●損益勘定が**借方残高**となる場合、当期純損失となります。

●損益勘定が**貸方残高**となる場合、当期純利益となります。

帳簿上、損益勘定で当期純利益(または当期純損失)を計算して、繰越利益剰余金勘定(資本の勘定)に振り替えます。損益勘定が貸方残高(利益)の場合は繰越利益剰余金が増加し、借方残高(損失)の場合は繰越利益剰余金が減少するよ!

基本７　世の中の仕組みを知っておこう！

１．小切手の仕組み

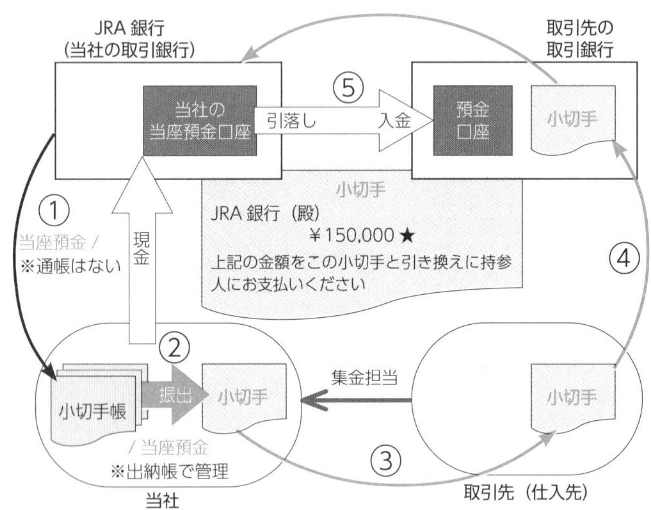

① 取引銀行に当座預金口座を開設することにより、小切手帳を取得します。

② 取引先の集金担当が来る前日に、支払金額の小切手を作成し（振出し）、当座預金の減少の処理を行います。

③ 集金担当に小切手を渡します。

④ 取引先は受け取った小切手を取引銀行に渡し、自社の預金口座への入金を依頼します。

⑤ 取引先の取引銀行は、当社の取引銀行に小切手を提示し、当社の当座預金口座から代金が引き落とされます。

ちなみに、小切手を受け取った人が“現金と同じ”として処理するのは、小切手が銀行に対して「お支払いください」としている証券だから。銀行が「お金ないから払えません」なんて言わないもんね。

2．手形の仕組み

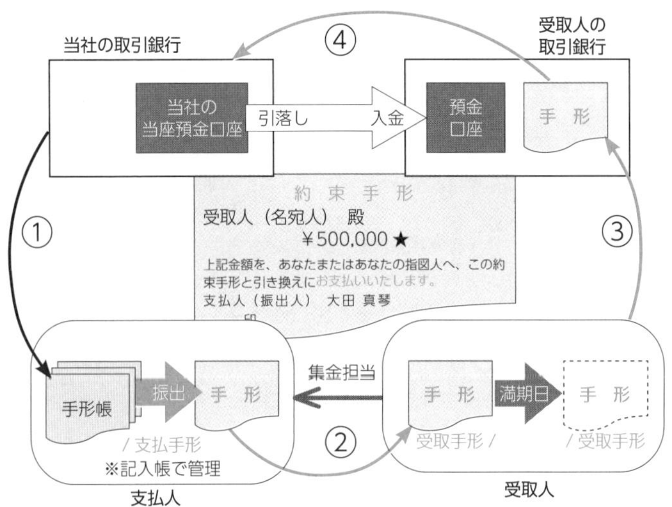

① 取引銀行に当座預金口座を開設することにより、手形帳を取得します。
② 受取人の集金担当が集金に来たときに、日付を入れて手形を完成させ受取人に渡します。
③ 受取人は（裏書きして他人に譲渡することもありますが）支払期日の前に受取人の取引銀行に持ち込み、手形の取立を依頼します。
④ 受取人の取引銀行は、当社の取引銀行に手形を提示し、支払期日になると当社の当座預金口座から代金が引き落とされます。

手形は個人（支払人）が個人（受取人）に対して「お支払いいたします」と言っているだけなので“現金と同じ”とはならないよ。

3．源泉徴収の仕組み

源泉徴収制度：支払の源泉からまとめて徴収する制度

① ――→本来の動き

② ――→源泉徴収制度での動き

① 従業員の給料は本来、その全額を従業員に支払い、従業員はその中から所得税や社会保険料を国税庁や日本年金機構に納付します。

② しかし、従業員が多数いる会社を考えると「徴税の効率化」のため、給料の支給源泉である会社で、従業員個人が納付すべき所得税や社会保険料を給料から天引きし、それをまとめて国税庁や日本年金機構に納付します。

これによって従業員も、いちいち自分で納付しなくて済むんで助かるんだよね。

基本８　仕訳の共通理解

1．同じ行為は同じ仕訳、逆の行為は逆の仕訳

次の２つの取引の仕訳をみてみましょう。

①商品100円を売り上げ、代金は掛けとした。

（借）売 掛 金　　100　　（貸）売　　上　　100

②商品100円を販売し、代金は月末に受け取ることとした。

（借）売 掛 金　　100　　（貸）売　　上　　100

この２つの取引は、問題文は異なりますが「商品100円を販売し、代金をまだもらっていない」という、同じ行為を表しています。
行為が同じなら、仕訳も同じになります。

③さきに掛けで販売した商品100円のうち、10円が品違いのため返品された。

（借）売　　上　　10　　（貸）売 掛 金　　10

「商品を売り上げた」という行為に対して「商品が返品された」という行為は、まったく逆の行為になります。
行為が逆なら仕訳も逆になります。

2．モノの購入（付随費用は取得原価に加える）

商品を仕入れたときの引取費用、土地や備品といった固定資産を購入したときの登記費用や据付費用といった、「モノの取得に関する付随費用はすべて、そのモノの原価に加えて処理」します。

①商品100円を仕入れ、代金は引取費用の10円とともに、現金で支払った。

（借）仕　　入　　110　　（貸）現　　金　　110

②備品100円を購入し、代金は据付費用10円とともに現金で支払った。

（借）備　　品　　110　　（貸）現　　金　　110

③土地100円を購入し、代金は整地費用10円とともに現金で支払った。

（借）土　　地　　110　　（貸）現　　金　　110

モノの購入は「モノをそのモノとして使えるまでのすべてのコスト」をそのモノの原価とします。

3．モノの売却（売却価額と帳簿価額の差額が、常に売却損益）

取得したモノはすべて、帳簿に記録されるので、帳簿上の価額（簿価）を持ちます。売却時点での簿価と売却価額との差額が常に売却損益となります。

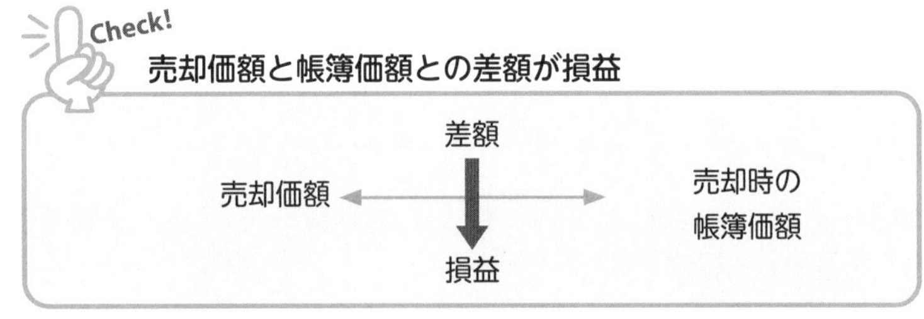

基本9　ネット試験の戦い方～スタートボタンを押す前に～

ペーパー試験は、これまでに数多く受けてきたことでしょうし、簿記の試験でもそれは特に変わるものではありません。

しかし、ネット試験を受けた経験は、あまりないのではないでしょうか。

そこで、日商簿記のネット試験の受験上の重要なポイントをお伝えしておきます。

1．余裕をもって試験会場に向かう

ネット試験の試験会場は「看板が一枚出ているだけ」といったところも多く、見つけるのに時間がかかる可能性があります。焦らなくて済むように余裕をもって出かけましょう。

なお、会場に着いてしまえば、あとは職員さんの言う通りに動けば大丈夫です。

2．ペンをチェックしよう

試験会場に持ち込めるのは、電卓だけです。

下書用紙(通常、A4サイズの紙2枚)とペンは、受付で渡され、それを使用します。

このとき、ペンのインクが出なかったり、ペン先が曲がっていたりすることに気づかずにスタートボタンを押してしまうと、交換の時間をロスします。必ず、チェックするようにしてください。

3．レイアウトを自分用に整える

日商簿記のネット試験では、キーボード、マウス、電卓、下書用紙を使うことになります。まず席に着いたら、スタートボタンを押す前に、これらを自分用のレイアウトにして整えてください。

右利きで電卓も右でしか打てない私の場合、モニターの正面に座り、テンキーが正面に来るようにキーボードを左へずらし、その右に下書用紙を横にしておき、下書用紙の左半分の下あたりにマウスを、右半分の上に電卓を置いて、問題を解きました。

こうすることで**「モニターの問題を読む⇒電卓を叩く（必要に応じて下書用紙を使う）⇒マウスで解答箇所を指定する⇒テンキーで入力する⇒モニターの問題を読む」**と時計回りに一連の動きとして、問題を解いていけるようになります。

ここまで整えてから、スタートボタンを押すようにしましょう。

テンキーと電卓をすぐ横に置いてしまうと「電卓のつもりがテンキーだった」などということがあります。

基本 10　第１問・仕訳問題の出題形式は？

３級の本試験は、第１問から第３問までの大問３題で構成され、70点以上（合計100点）で合格となります。

第１問では、**仕訳問題が15題**、出題されています。１題につき３点の配点があり、合計45点と合否を左右する点数です。**仕訳を得意に**しておくことが試験の合格に直結します。シュミレーションしておきましょう！

問題用紙（第１問）

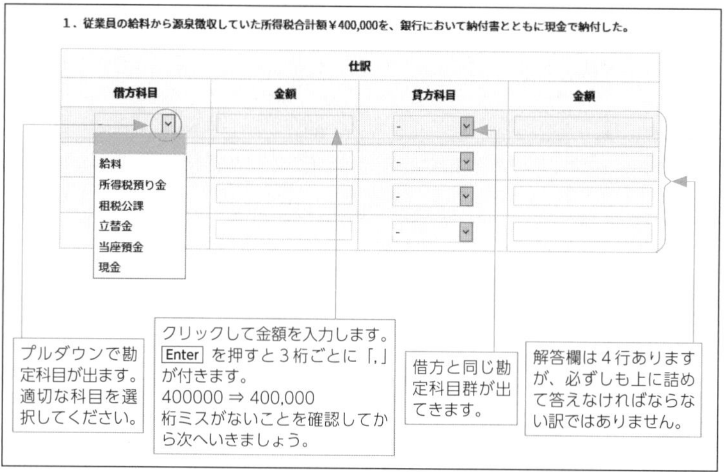

第１問に使える時間は60分中20分。
早く正確に解けるようにしましょう。

学習方法〜本書の使い方〜

Step1　イラストを見て取引の場面をイメージしながら、該当する番号の仕訳を確認していきましょう。

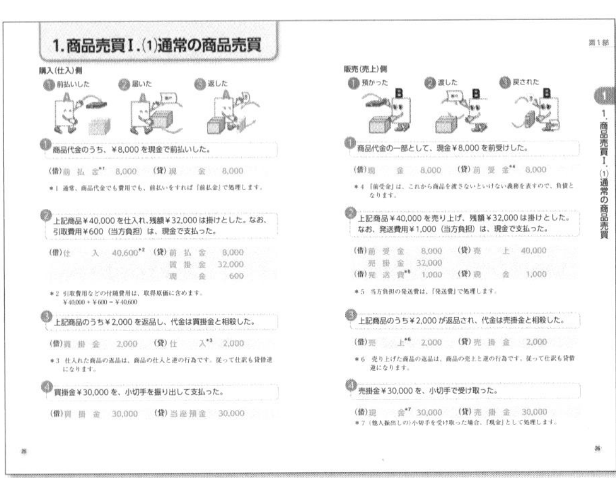

1. 商品売買Ⅰ.(1)通常の商品売買

第1部

購入(仕入)側

①前払いした　②届いた　③返した

① 商品代金のうち、¥8,000を現金で前払いした。

（借）前払金[*1] 8,000　（貸）現　金 8,000

＊1 通常、商品代金でも費用でも、前払いをすれば「前払金」で処理します。

② 上記商品¥40,000を仕入れ、残額¥32,000は掛けとした。なお、引取費用¥600（当方負担）は、現金で支払った。

（借）		（貸）	
仕　入	40,600[*2]	前払金	8,000
		買掛金	32,000
		現　金	600

＊2 引取費用などの付随費用は、取得原価に含めます。
¥40,000＋¥600＝¥40,600

③ 上記商品のうち¥2,000を返品し、代金は買掛金と相殺した。

（借）買掛金 2,000　（貸）仕　入[*3] 2,000

＊3 仕入れた商品の返品は、商品の仕入と逆の行為です。従って仕訳も貸借逆になります。

④ 買掛金¥30,000を、小切手を振り出して支払った。

（借）買掛金 30,000　（貸）当座預金 30,000

販売(売上)側

①預かった　②渡した　③戻された

① 商品代金の一部として、現金¥8,000を前受けした。

（借）現　金 8,000　（貸）前受金[*4] 8,000

＊4 「前受金」は、これから商品を渡さないといけない義務を表すので、負債となります。

② 上記商品¥40,000を売り上げ、残額¥32,000は掛けとした。なお、発送費用¥1,000（当方負担）は、現金で支払った。

（借）		（貸）	
前受金	8,000	売　上	40,000
売掛金	32,000		
発送費[*5]	1,000	現　金	1,000

＊5 当方負担の発送費は、「発送費」で処理します。

③ 上記商品のうち¥2,000が返品され、代金は売掛金と相殺した。

（借）売　上[*6] 2,000　（貸）売掛金 2,000

＊6 売り上げた商品の返品は、商品の売上と逆の行為です。従って仕訳も貸借逆になります。

④ 売掛金¥30,000を、小切手で受け取った。

（借）現　金[*7] 30,000　（貸）売掛金 30,000

＊7 （他人振出しの）小切手を受け取った場合、「現金」として処理します。

1. 商品売買Ⅰ.(1)通常の商品売買

26　26

Step2　それぞれの仕訳問題を解き進めてください。

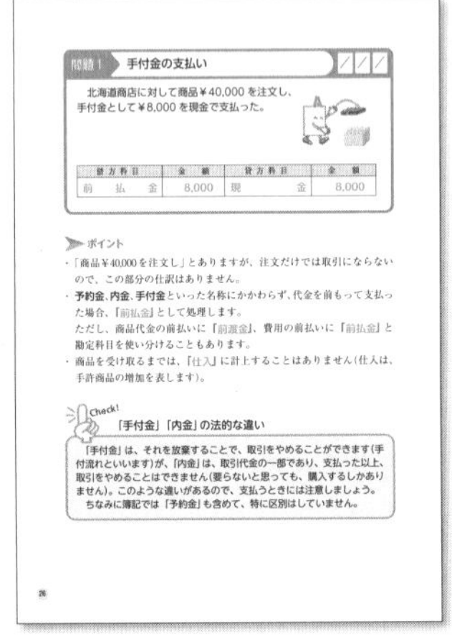

問題1　手付金の支払い

北海道商店に対して商品¥40,000を注文し、手付金として¥8,000を現金で支払った。

借方科目	金額	貸方科目	金額
前払金	8,000	現金	8,000

ポイント

・「商品¥40,000を注文し」とありますが、注文だけでは取引にならないので、この部分の仕訳はありません。
・予約金、内金、手付金といった名称にかかわらず、代金を前もって支払った場合、「前払金」として処理します。
ただし、商品代金の前払いに「前渡金」、費用の前払いに「前払金」と勘定科目を使い分けることもあります。
・商品を受け取るまでは、「仕入」に計上することはありません（仕入は、手許商品の増加を表します）。

Check!
「手付金」「内金」の法的な違い

「手付金」は、それを放棄することで、取引をやめることができます（手付流れといいます）が、「内金」は、取引代金の一部であり、支払った以上、取引をやめることはできません（要らないと思っても、購入するしかありません）。このような違いがあるので、支払うときには注意しましょう。
ちなみに簿記では「予約金」も含めて、特に区別はしていません。

26

Step3　夜寝る前には、このページで取引の内容を言葉にしてみましょう。

夜寝る前に。　以下の取引の内容を言ってみましょう。

通常の商品売買編

問題1

前払金	8,000	現金	8,000

問題3

仕入	40,600	前払金	8,000
		買掛金	32,000
		現金	600

問題5

買掛金	2,000	仕入	2,000

問題7

買掛金	30,000	現金	30,000

問題2

現金	8,000	前受金	8,000

問題4

前受金	8,000	売上	40,000
売掛金	32,000		
立替金	1,000	現金	1,000

問題6

売上	2,000	売掛金	2,000

問題8

当座預金	29,600	売掛金	30,000
支払手数料	400		

問題9

買掛金	100,000	売掛金	500,000
普通預金	400,000		

問題10

買掛金	500,000	売掛金	100,000
		当座預金	400,000

26

第1部

商品売買＋伝票からの仕訳

1.商品売買Ⅰ.(1)通常の商品売買

購入(仕入)側

① 前払いした　② 届いた　③ 返した

①
商品代金のうち、¥8,000 を現金で前払いした。

(借)前　払　金[*1]　8,000　　(貸)現　　金　8,000

＊1 通常、商品代金でも費用でも、前払いをすれば『前払金』で処理します。

②
上記商品¥40,000 を仕入れ、残額¥32,000 は掛けとした。なお、引取費用¥600（当社負担）は、現金で支払った。

(借)		(貸)	
仕　　入	40,600[*2]	前　払　金	8,000
		買　掛　金	32,000
		現　　金	600

＊2 引取費用などの付随費用は、取得原価に含めます。
¥40,000 + ¥600 = ¥40,600

③
上記商品のうち¥2,000 を返品し、代金は買掛金と相殺した。

(借)買　掛　金　2,000　　(貸)仕　　入[*3]　2,000

＊3 仕入れた商品の返品は、商品の仕入と逆の行為です。従って仕訳も貸借逆になります。

④
買掛金¥30,000 を、小切手を振り出して支払った。

(借)買　掛　金　30,000　　(貸)当座預金　30,000

販売(売上)側

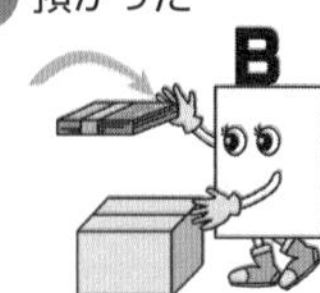

1 商品代金の一部として、現金￥8,000を前受けした。

(借)現　　　金　8,000　　(貸)前　受　金[*4]　8,000

＊4 『前受金』は、これから商品を渡さないといけない義務を表すので、負債となります。

2 上記商品￥40,000を送料￥1,000を含めた￥41,000で売り上げ、手付金と相殺した残額は掛けとした。なお、発送費用￥1,000は現金で支払った。

(借)前　受　金　8,000　　(貸)売　　　上[*5]　41,000
　　売　掛　金　33,000
(借)発　送　費[*6]　1,000　　(貸)現　　　金　1,000

＊5 送料込みの金額を受け取る場合は、出荷と配送を1つの売上取引とみなし、売上の金額に含めます。
＊6 発送費用は、『発送費』で処理します。

3 上記商品のうち￥3,000が返品され、代金は売掛金と相殺した。

(借)売　　　上[*7]　3,000　　(貸)売　掛　金　3,000

＊7 売り上げた商品の返品は、商品の売上と逆の行為です。従って仕訳も貸借逆になります。

4 売掛金￥30,000を、小切手で受け取った。

(借)現　　　金[*8]　30,000　　(貸)売　掛　金　30,000

＊8 (他人振出しの)小切手を受け取った場合、『現金』として処理します。

問題1 手付金の支払い

北海道商店に対して商品￥40,000を注文し、手付金として￥8,000を現金で支払った。

借方科目	金額	貸方科目	金額
前払金	8,000	現金	8,000

ポイント

- 「商品￥40,000を注文し」とありますが、注文だけでは取引にならないので、この部分の仕訳はありません。
- **予約金**、**内金**、**手付金**といった名称にかかわらず、代金を前もって支払った場合、『前払金』として処理します。
  ただし、商品代金の前払いに『前渡金』、費用の前払いに『前払金』と勘定科目を使い分けることもあります。
- 商品を受け取るまでは、『仕入』に計上することはありません(仕入は、手許商品の増加を表します)。

Check! 「手付金」「内金」の法的な違い

「手付金」は、それを放棄することで、取引をやめることができます(手付流れといいます)が、「内金」は、取引代金の一部であり、支払った以上、取引をやめることはできません(要らないと思っても、購入するしかありません)。このような違いがあるので、支払うときには注意しましょう。

ちなみに簿記では「予約金」も含めて、特に区別はしていません。

問題2 手付金の受取り

商品￥40,000の注文を受け、手付金として現金￥8,000を受け取った。

借方科目	金額	貸方科目	金額
現　　金	8,000	前 受 金	8,000

ポイント

- 代金の一部(**内金・手付金**など)を前もって受け取り、あとで商品を引き渡すことがあります。代金の一部を前もって受け取った場合、『前受金』として処理します。
- 実際に商品を引き渡したときに、売上を計上することになります。手付金を受け取ったときではないので注意しましょう。

売上の計上要件

売上は次の2つの要件を満たしたときに計上されます。

① 商品の引き渡し
② 対価(売掛金などでも良い)の受け入れ

この場合、②の対価の受け入れは、満たしていますが、①の商品の引き渡しは満たしていません。

したがって、商品を引き渡すまでは売上には計上できません。

なお、売上を計上した瞬間に、対象となった商品の所有者が、売り手から買い手に変わります。

2022年4月より「収益認識に関する会計基準」が日商簿記の出題範囲となりました。

「収益認識に関する会計基準」の適用による日商簿記3級の出題内容への影響については、P.201のコラムをご参照ください。

問題 3　商品の仕入れ

／　／　／

仕入先北海道商店に注文していた商品￥40,000が到着した。商品代金のうち20%は手付金としてあらかじめ支払済みであるため相殺し、残額は掛けとした。なお、商品の引取運賃￥600は着払い（当社負担）となっているため運送業者に現金で支払った。商品売買の記帳は3分法によるものとする。

借方科目	金　額	貸方科目	金　額
仕　入	40,600	前　払　金	8,000
		買　掛　金	32,000
		現　金	600

前払金：￥40,000×20%＝￥8,000
買掛金：￥40,000－￥8,000＝￥32,000
仕　入：￥40,000＋￥600＝￥40,600

ポイント

- **商品が手許に到着**したときに『仕入』を計上します。
- 当社負担の引取運賃は、『仕入』に含めて処理します。
- 商品の購入なので、未払分は『買掛金』となります。

Check!

販売目的のものは常に『仕入』

商品とは、「販売目的のもの」です。仮に、自動車の販売店が「販売目的の中古自動車を購入した」とあれば、『仕入』となります。また、「後日支払う」とあっても『買掛金』として処理します。

商品の引取運賃が先方負担なら

①立替金勘定を用いる場合

借方科目	金額	貸方科目	金額
仕入	40,000	前払金	8,000
		買掛金	32,000
立替金	600	現金	600

②買掛金と相殺する場合

借方科目	金額	貸方科目	金額
仕入	40,000	前払金	8,000
		買掛金	31,400
		現金	600

・厳密には①債権（立替金）と債務（買掛金）がありますが、②同じ相手に対するものなので相殺して処理することもあります。問題文の指示に従ってください。

Check!

当方負担の付随費用を取得原価に含める理由

モノの取得原価は、商品であれ、固定資産であれ、そのものが使えるようになるまでのすべてのコストをいいます。

例えば、家電量販店で５万円のエアコンを購入したとしましょう。しかし、エアコンを使えるようにするには、取り付けてもらわなければなりません。その取付けに１万円かかったとすると、このエアコンの取得原価は６万円となります。

取付代を支払わないとエアコンはエアコンとして使えないのですから、取付代もエアコンの取得原価となります。

問題 4　商品の売上げ

得意先岩手商店に商品￥40,000（原価￥24,000）を送料￥1,000 を含めた￥41,000 で売り上げた。代金のうち￥8,000 は注文時に受取った手付金と相殺し、残額は月末の受取りとした。なお、商品の発送時に、配送業者に送料￥1,000 を現金で支払い、費用として処理した。

借方科目	金額	貸方科目	金額
前受金	8,000	売上	41,000
売掛金	33,000		
発送費	1,000	現金	1,000

売掛金：￥40,000－￥8,000＋￥1,000＝￥33,000

ポイント

- 得意先から送料込みの金額を受け取る場合は、出荷と配送を１つの売上取引とみなし、送料の金額も売上に含めて処理します。
- 支払った送料については、当社の費用として『発送費』で処理します。

Check!

「掛」という字の意味

「掛」という字には「途中」という意味があります。

つまり、商品を引き渡し、代金をもらってこそ、本当の売上ですが、まだ代金は受け取っていないので、「売上の途中」ということになります。「売上の途中の金額」という意味で『売掛金』と使います。

発送費用の処理

①発送費用を売上に含める場合

借方科目	金額	貸方科目	金額
前受金	8,000	売上	41,000
売掛金	33,000		
発送費	1,000	現金	1,000

②発送費用を当社で負担する場合

借方科目	金額	貸方科目	金額
前受金	8,000	売上	40,000
売掛金	32,000		
発送費	1,000	現金	1,000

ポイント

・いずれの場合も、当社が配送業者に支払った送料は、当社の費用として『発送費』で処理します。

Check!

売掛金と未収入金の違い

「売掛金と未収入金の違いは？」と聞くと、「商品売買については売掛金、それ以外だと未収入金」という答えが返ってきます。では、なぜ商品売買については『売掛金』を用い、それ以外では『未収入金』なのでしょうか？

例えば、みなさんが営業担当だったとしましょう。

みなさんが販売した商品の代金は、みなさんに回収する義務があります。販売したのだから当然ですね。しかし、会社の総務部門が土地を売却し代金回収が滞った場合、その回収義務はみなさんにあるのでしょうか？ないですよね。総務部門が回収すべきですね。

つまり会社では、営業部門が売掛金元帳をつけて管理している債権を『売掛金』とし、それ以外の部門が管理している債権を『未収入金』として、帳簿上区別しているのです。つまり、「誰が管理しているのか」で合理的に使い分けているのです。

問題5　商品の返品（返品した）

／　／　／

北海道商店から掛けで仕入れていた商品のうち、￥2,000が品違いのため返品をした。この分は同店に対する掛け代金より差し引かれた。商品売買の記帳は３分法によるものとする。

借方科目	金　額	貸方科目	金　額
買　掛　金	2,000	仕　　入	2,000

ポイント

・問題文の「**同店**」は、必ず直前の店を指しているので、直前の店名（本問では北海道商店）に置き替えて読みましょう。

・**仕入返品**は、「仕入れた商品を仕入先に戻す」という、「商品を仕入れる」という行為とまったく逆の行為であるため、仕訳も貸借逆の仕訳を行うことになります。
結局、返品分はもともと仕入れていなかったことと同じになります。

	仕入時：	（借）仕　　入	40,000	（貸）買 掛 金	40,000
+）	返品時：	（借）買 掛 金	2,000	（貸）仕　　入	2,000
		（借）仕　　入	38,000	（貸）買 掛 金	38,000

つまり仕訳上も、最初から￥38,000分の商品を仕入れたのと同じことになります。

Check!

モノの原価

モノの原価は、それに対して支払った金額で決まるので（取得原価主義）、代金を払わなかった部分は商品の原価とはなりません。
仕入の場合、返品分は代金を支払わないので、当然に商品の原価が減少することになります。

問題6 商品の返品（返品された）

／ ／ ／

岩手商店に対して掛けで販売した商品のうち、¥3,000分が破損していたため返品された。商品売買の記帳は3分法によるものとする。

借方科目	金額	貸方科目	金額
売上	3,000	売掛金	3,000

ポイント

・**売上返品**は、「売り上げた商品が戻される」という、売上とまったく逆の行為であるため、返品分は、もともと売り上げていなかったことと同じになります。

Check! 返品は由々しき事態

お客さんが、いったん「欲しい」と思い、期待して買ったものが、「要らない」となってしまったのが返品。

物流コストなどで一定の損害が発生しますが、それよりもお客さんの期待を裏切ったのですから、会社としての信用を失うことにつながるので、原因の究明が大切です。

品違いであれば、商品管理に問題があることを意味していますし、スペックの問題だとすると、その商品の案内方法を見直す必要があるでしょう。また、流通上での破損であれば、流通業者と相談して流通を見直す必要が生じてきます。

いずれにしても、返品というのは会社としての由々しき事態です。きっちりとした対応を取る必要があります。

問題7　掛代金の支払い

　仕入先に対する先月締めの掛代金￥30,000の支払いとして、先方の当座預金口座に現金￥30,000を振り込んだ。なお、振込手数料￥400は先方負担である。

借方科目	金額	貸方科目	金額
買掛金	30,000	現金	30,000

ポイント

・「先方の当座預金口座」は、当社の処理に関係ありません。
・振込手数料は**先方負担**なので、当社では特に処理することはなく、掛代金だけを支払うことになります。
・振込手数料は銀行が受け取り、掛代金から振込手数料を差し引かれた残額が、先方の当座預金口座に振り込まれます。(右ページ参照)
・振込手数料が**当方負担**の場合は、次の処理になります。

(借)買掛金	30,000	(貸)現金	30,400
支払手数料	400		

なお、手数料の処理は、費用の支払いのときも同じです。

Check!

支払いサイトは会社ごとに決めている

　継続的な取引では、取引の都度、代金の支払い時期や方法を取り決めていては手間がかかって大変です。そこで通常、立場が強い買い手が、代金の支払いサイトを独自に決めています(売り手はそれに従います)。
　たとえば「月末締めの翌月末現金払い」という支払いサイトであれば「今月の取引分を月末に合計し、翌月末に全額現金で支払う」ということを意味しています。なかには、月末締めの翌々月末90日の手形払いといった、実質4か月以上先にしか支払わないといった企業もあります。

問題8 掛代金の受取り

得意先から先月締めの掛代金￥30,000の回収として、振込手数料￥400（当社負担）を差し引かれた残額が当社の当座預金口座に振り込まれた。

借方科目	金額	貸方科目	金額
当座預金	29,600	売掛金	30,000
支払手数料	400		

当座預金：￥30,000－￥400＝￥29,600

ポイント

- 振込手数料は**当社負担**なので、『支払手数料』として処理します。
- 掛代金から振込手数料を差し引かれた残額が、当座預金口座に振り込まれます。
- 振込手数料が**先方負担**の場合は、次の処理になります。
  (借)当座預金 30,000 (貸)売掛金 30,000
  なお、手数料の処理は、費用の支払いのときも同じです。

Check!

振込手数料はどちらが負担すべきか

商品売買の代金は、販売側が集金に行くのが慣例です。

しかし、集金にかかるリスクやコストを考えると銀行口座に振り込んでもらった方がはるかに効率的です。

では、このとき発生する振込手数料はどちらが負担するべきでしょうか？

現実には互いの契約で決めていますが、本来、回収コストの代わりですから「商品代金を受け取る側が負担するべきもの」と考えるべきでしょう。

問題9　買掛金と売掛金の相殺

本日、普通預金の状況を調べたところ、B商店に対する、売掛金￥500,000と買掛金￥100,000とが相殺され、差額が入金されていたことが判明した。

借方科目	金額	貸方科目	金額
買掛金	100,000	売掛金	500,000
普通預金	400,000		

普通預金：￥500,000－￥100,000＝￥400,000

ポイント

たとえば、A商店がインドネシアから雑貨を輸入して小売業者に販売する卸売業を営み、同業のB商店がロシアからの輸入ルートを持ち、雑貨を輸入しているといった場合に、相互に商品を流通させる（売買する）ことがあります。このような場合に売掛金と買掛金の相殺が行われます。

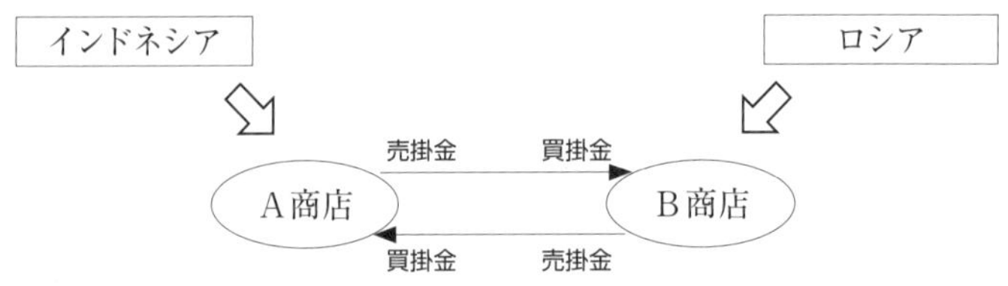

問題10 売掛金と買掛金の相殺

本日、A商店に対する買掛金¥500,000および売掛金¥100,000の決済日につき、A商店の承諾を得て両者を相殺処理するとともに、買掛金の超過分¥400,000は当座預金口座から振り込んだ。

借方科目	金額	貸方科目	金額
買掛金	500,000	売掛金	100,000
		当座預金	400,000

ポイント

・債権(売掛金)と債務(買掛金)の相殺は、双方の了解なしには行えません。

Check! 相殺は危ないときにも使える！

"売掛金が残っている相手先が倒産しそう"という危ない場面。

一つの方法として、この"相殺"が使えます。

つまり、倒産しそうな相手先から商品などを買い取り、債務(買掛金)を発生させて、売掛金と相殺して、回収するというテクニックです。

相手先としても、商品が売れるので、応じやすい方法だと言えるでしょう。

2. 商品売買Ⅰ. ⑵証ひょうからの仕訳

問題 11 請求書（控）からの仕訳

NS 商事は、青葉商店に対する 1 か月分の売上（月末締め、翌月 20 日払い）を集計して次の請求書の原本を発送した。なお、青葉商店に対する売上は商品発送時ではなく 1 か月分をまとめて仕訳を行うこととしているため、適切に処理を行う。

請求書（控）

青葉商店　御中

株式会社ＮＳ商事

品　物	数量	単価	金額
ボールペン	500	200	¥100,000
付箋セット	650	300	¥195,000
封筒セット	300	600	¥180,000
	合計		¥475,000

X8 年 6 月 20 日までに合計額を下記口座へお振込み下さい。
東京銀行千代田支店　普通　1365932　カ）エヌエスシヨウジ

借方科目	金　額	貸方科目	金　額
売　掛　金	475,000	売　上	475,000

ポイント

・実務上、得意先と長い間取引を行っている場合、1 か月分の売上取引を後日まとめて、請求することがあります。

問題 12 請求書からの仕訳

／ ／ ／

青葉商店は、ＮＳ商事より1か月分の仕入代金（月末締め翌月 20 日払い）の請求書を受け取った。なお、ＮＳ商事からの仕入は商品仕入時ではなく、1か月分をまとめて仕訳を行うこととしているため、適切に処理を行う。

請求書

青葉商店　御中

株式会社ＮＳ商事

品　物	数量	単価	金額
ボールペン	500	200	¥100,000
付箋セット	650	300	¥195,000
封筒セット	300	600	¥180,000
	合計		¥475,000

X8 年 6 月 20 日までに合計額を下記口座へお振込み下さい。
東京銀行千代田支店　普通　1365932　カ）エヌエスシヨウジ

借方科目	金　額	貸方科目	金　額
仕　入	475,000	買　掛　金	475,000

ポイント

・請求書の次に(控)の文字がないことから、請求書の原本であり、それを受け取ったので、代金を支払う立場であることがわかります。

Check!

(控)とあれば売掛金、なければ買掛金

請求書は複写式になっており、原本を相手方に送付し、(控)を手許に残し、入金時に金額を(控)と突合することで確認するということが前提となっています。

従って、(控)とあれば代金を受取る立場、なければ(＝原本が届いている)支払う立場にいるということがわかります。

請求書がデジタルデータ化される前の話ですが…。

問題 13 入出金明細からの仕訳①

取引銀行のインターネットバンキングサービスから普通預金口座のＷＥＢ通帳（入出金明細）を参照した。３月 17 日において必要な仕訳を答えなさい。なお、株式会社リーマン食品は当社の商品の取引先であり、商品売買取引はすべて掛けとしている。

入出金明細

日付	内容	出金金額	入金金額	取引残高
3.17	振込　カ）リーマンシヨクヒン	250,000		省略

借方科目	金　額	貸方科目	金　額
買掛金	250,000	普通預金	250,000

ポイント

・「株式会社リーマン食品は当社の商品の取引先」、「商品売買取引はすべて掛け」とあり、「出金金額」の欄に金額が記載されているので、『買掛金』の支払いとして処理します。

Check! インターネットバンキングってなに？

「インターネットバンキング」とは、従来からある銀行が行っているサービスで、インターネット上で銀行口座の残高照会や振込などを行うことです。

これまで店頭窓口やATMまで出向いて行っていた銀行取引の多くが、パソコンやスマートフォンを使ってどこからでもできるシステムです。

手数料も安く設定されていることが多く、お得なサービスです。

ちなみに、店舗を持たないで、取引や手続きをWebやメールなどで行う「ネット銀行(インターネット専業銀行)」とは異なります。

問題 14　入出金明細からの仕訳②

／　／　／

取引銀行のインターネットバンキングサービスから普通預金口座のＷＥＢ通帳（入出金明細）を参照した。3月 18 日において必要な仕訳を答えなさい。なお、烏丸株式会社は当社の商品の取引先であり、商品売買取引はすべて掛けとしている。

入出金明細

日付	内容	出金金額	入金金額	取引残高
3.18	振込　カラスマ（カ		394,500	省略

3 月 18 日の入金は、当社負担の振込手数料￥500 が差し引かれたものである。

借方科目	金額	貸方科目	金額
普通預金	394,500	売掛金	395,000
支払手数料	500		

ポイント

・「烏丸株式会社は当社の商品の取引先」、「商品売買取引はすべて掛け」とあり、「入金金額」の欄に金額が記載されているので、『売掛金』の回収として処理します。

Check!　インターネットバンキングで、できること

●残高・明細確認
●他の口座への振込・振替
●定期預金の取引・解約
●税金の支払い
●住所変更
●振込上限金額・利用限度額の変更
●紛失・破損したカードや通帳の利用停止　など。
まあ、ひと通りできると思っていいでしょう。

3.商品売買Ⅰ.⑶伝票からの仕訳

問題 15　伝票からの仕訳①

／ ／ ／

商品 10,000 円を売上げ、代金のうち 2,000 円を現金で受け取り、残額を掛けとしたとき、入金伝票を次のように作成した。
この取引の振替伝票に記入される仕訳を答えなさい。

入金伝票	
売　上	2,000

借方科目	金　額	貸方科目	金　額
売　掛　金	8,000	売　上	8,000

ポイント

・取引の全体は次のとおりです。

(借) 現　金	2,000	(貸) 売　上	10,000
売　掛　金	8,000		

・入金伝票の記入から、次の処理を行っていたことがわかります。

(借) 現　金	2,000	(貸) 売　上	2,000

・従って、取引を分割して入金伝票を起票していたことがわかるので、振替伝票には解答の処理を行うことになります。

Check!

本試験対策

最長20分で出題された15題の仕訳の入力まで行わなければならないので時間がありませんが、このタイプの問題が出題された場合には、下書用紙に取引全体の仕訳と入金伝票の仕訳を書いてから解答を作成するようにしましょう。

問題16 伝票からの仕訳②

/ / /

商品10,000円を売上げ、代金のうち2,000円を現金で受け取り、残額を掛けとしたとき、入金伝票を次のように作成した。

この取引の振替伝票に記入される仕訳を答えなさい。

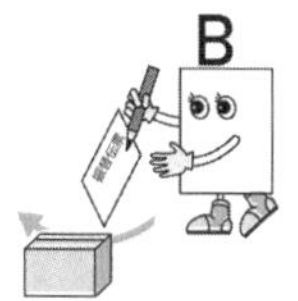

入金伝票
売掛金　　2,000

借方科目	金額	貸方科目	金額
売掛金	10,000	売上	10,000

ポイント

・入金伝票の記入から、次の処理を行っていたことがわかります。
(借)現金　2,000　(貸)売掛金　2,000

・従って、取引を擬制して入金伝票を起票していたことがわかるので、振替伝票には解答の処理を行うことになります。

Check! 仕訳の引き算

仕訳は、取引が定型化されたものですから、加算や減算ができます。本問で「仕訳の引き算」というテクニックをみておきましょう。

① 全体の仕訳	(借) 現金	2,000	(貸) 売上	10,000
	売掛金	8,000		
② 入金伝票の仕訳	−) (借) 現金	2,000	(貸) 売掛金	2,000
③ 振替伝票の仕訳	(借) 売掛金	10,000	(貸) 売上	10,000

現金は、同じ借方に同じ金額があるので、差引きすると何も残りません(2,000 − 2,000 = 0)。

売上は、②に差引くものが何もないので、①の仕訳がそのまま③の仕訳を構成します(10,000 − 0 = 10,000)。

売掛金は、借方にある8,000から、逆サイドにある貸方の2,000を差し引くので、結果的に合計され借方10,000となります(8,000 −△2,000 = 10,000)。

4. 商品売買Ⅱ.(1)商品券による販売

① 商品券で売った

② 商品券を精算した

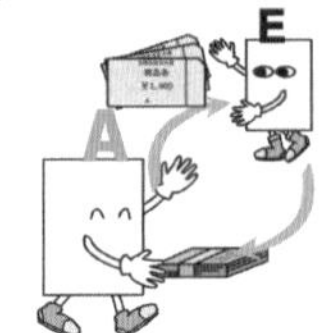

①

商品￥17,000を売り上げ、代金は￥10,000の商品券と残額は現金￥7,000で受け取った。

(借)	受取商品券[*1]	10,000	(貸)売上	17,000
	現金	7,000		

＊1 他社が発行した「全国百貨店共通商品券」など、共通に使える商品券を受け取った場合は、資産の増加となります。

②

上記商品券￥10,000をすべて精算し、同額の現金を受け取った。

(借)	現金	10,000	(貸)受取商品券	10,000

エッ！商品券が負債？

「商品券とは？」なんて、みなさん考えたこともないかと思います。

商品券とは、発行した人にとっては、商品の販売代金を前受けし、その分の商品券を発行しているので、『前受金を証券化したもの』となります。つまり負債なのです。

もちろん受け取った人は、資産の『受取商品券』で処理します。もらったら、うれしいですもんね。

問題17 受取商品券

／ ／ ／

商品¥17,000を売り渡し、代金のうち¥10,000については当社と連盟している他社の商品券で受け取り、残額は現金で受け取った。なお、商品売買の記帳は3分法によるものとする。

借方科目	金額	貸方科目	金額
受取商品券	10,000	売上	17,000
現金	7,000		

ポイント

・**他社が発行した商品券**は、発行した組合などに持ち込むと換金することができます。お金を受け取る権利が生じるので、『受取商品券』（資産）として処理しています。

・その後　商品券を精算したとき

受け取った商品券¥10,000を発行元に持ち込むと、現金化できます。

(借)現金　10,000　(貸)受取商品券　10,000

しかし、現実には、このとき、数パーセントの手数料が差し引かれます。手数料を2％とすると、次の仕訳になります。

(借)現金　9,800　(貸)受取商品券　10,000
　　支払手数料　200

Check!

商品券を高く売るには

商品券の換金には手数料がかかります。では、少しでも高く売るには、どうすればいいのでしょうか。

1．買い取ってくれるサイトを見て比較する

2．お歳暮やお年玉に使う年末年始や、帰省するゴールデンウィーク前などの時期を狙う

といったことのようですが、せいぜい違っても2％程度なので「必要なものに使う」が一番正解のようです。

5. 商品売買Ⅱ. (2)クレジットカードによる販売

① カードで売った　　② 回収した

①

Ａ社に商品￥100,000をクレジット払いの条件で販売するとともに、信販会社（カード会社）へのクレジット手数料￥5,000を計上した。

(借)クレジット売掛金[*1] 95,000　(貸)売　　上 100,000
　　支払手数料　　　 5,000

＊1　信販会社に対する売掛金は、得意先に対する売掛金と区別して『クレジット売掛金』勘定を用いて処理します。

②

信販会社から、クレジット売掛金￥95,000が狩野銀行の普通預金口座に入金された。なお、勘定科目は口座名の後に銀行名を付して用いている。

(借)普通預金狩野銀行 95,000　(貸)クレジット売掛金[*2] 95,000

＊2　クレジット売掛金は、Ａ社に対する債権ではなく、クレジット会社に対する債権です。
ですから、商品を販売後、Ａ社が倒産しても（信販会社が倒産しない限り）回収が滞ることはありません。

Check!

カードを使うときは「すみません」のひと言を

お店はカード払いを指定されると、代金の５％くらいを失うことになります。カードを出すときには「すみません」のひと言を付けて「カード払いでお願いします」と言うようにしましょう。

ちなみに、私の知り合いに、カードＯＫのお店に入ると「現金で払うから５％引いてくれ！」と交渉する強者（つわもの）がいます（笑）。

問題18 クレジット売掛金

商品￥300,000をクレジット払いの条件で販売するとともに、信販会社へのクレジット手数料（販売代金の５％）を計上した。

借方科目	金額	貸方科目	金額
クレジット売掛金	285,000	売上	300,000
支払手数料	15,000		

支払手数料：￥300,000×５％＝￥15,000
クレジット売掛金：￥300,000－￥15,000＝￥285,000

ポイント

- 売上の計上は、他の売上と変わりません。
- 支払手数料を販売代金の回収時に計上することを前提に、販売時に次の仕訳をすることは正しくありません。

  (借) クレジット売掛金 300,000 (貸) 売 上 300,000

  当期中に回収して支払手数料を計上すれば同じことになるのですが、その間に決算が入ると、資産が過大計上されてしまうことになります。
- クレジットカードを用いて商品を仕入れたときや、備品を購入したときの仕訳は通常の仕訳と変わりません。

  商品：(借) 仕 入 300,000 (貸) 買掛金 300,000
  備品：(借) 備 品 300,000 (貸) 未払金 300,000

Check! クレジット売掛金回収時の仕訳

回収時には、次の仕訳を行います（当座預金口座への振り込みと仮定）
(借) 当座預金 285,000 (貸) クレジット売掛金 285,000
実務上は、１か月分がまとまって入金されます。

以下の取引の内容を言ってみましょう。

通常の商品売買編

問題1

借方科目	金額	貸方科目	金額
前払金	8,000	現金	8,000

問題3

借方科目	金額	貸方科目	金額
仕入	40,600	前払金	8,000
		買掛金	32,000
		現金	600

問題5

借方科目	金額	貸方科目	金額
買掛金	2,000	仕入	2,000

問題7

借方科目	金額	貸方科目	金額
買掛金	30,000	現金	30,000

問題2

借方科目	金額	貸方科目	金額
現金	8,000	前受金	8,000

問題4

借方科目	金額	貸方科目	金額
前受金	8,000	売上	41,000
売掛金	33,000		
発送費	1,000	現金	1,000

問題6

借方科目	金額	貸方科目	金額
売上	3,000	売掛金	3,000

問題8

借方科目	金額	貸方科目	金額
当座預金	29,600	売掛金	30,000
支払手数料	400		

問題9

借方科目	金額	貸方科目	金額
買掛金	100,000	売掛金	500,000
普通預金	400,000		

問題10

借方科目	金額	貸方科目	金額
買掛金	500,000	売掛金	100,000
		当座預金	400,000

証ひょうからの仕訳編

問題11

売掛金	475,000	売上	475,000

問題12

仕入	475,000	買掛金	475,000

問題13

買掛金	250,000	普通預金	250,000

問題14

普通預金	394,500	売掛金	395,000
支払手数料	500		

伝票からの仕訳編

問題15・問題16

全体の仕訳

現金	2,000	売上	10,000
売掛金	8,000		

入金伝票を次のように作成した場合

入金伝票	
売上	2,000

売掛金	8,000	売上	8,000

入金伝票を次のように作成した場合

入金伝票	
売掛金	2,000

売掛金	10,000	売上	10,000

商品券による販売編

問題17

受取商品券	10,000	売上	17,000
現金	7,000		

クレジットカードによる販売編

問題18

クレジット売掛金	285,000	売上	300,000
支払手数料	15,000		

第2部

債権と債務

1.債権と債務

1A 1B 借用証書で貸した

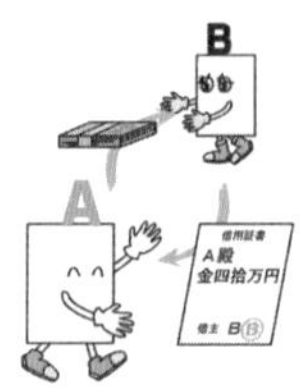

1A

得意先に利息￥2,700の約束で、￥80,000を現金で貸し付け、借用証書を受け取った。なお、利息は満期日に受け取ることとなっている。

(借)貸付金	80,000	(貸)現金	80,000

1B

利息分を差し引いて貸し付けた場合の仕訳

(借)貸付金	80,000*1	(貸)現金	77,300
		受取利息	2,700

＊1 借用証書の金額になります。

借用証書の代わりに手形を受け取ったら

1C

借用証書の代わりに手形を受け取った場合の仕訳

(借)手形貸付金*2	80,000	(貸)現金	80,000

＊2 公的な債権である手形を受け取ることにより、より確実な回収が見込めます。

1D

利息分を差し引いて貸し付けた場合の仕訳

(借)手形貸付金	80,000	(貸)現金	77,300
		受取利息	2,700

1C 1D 手形で貸した

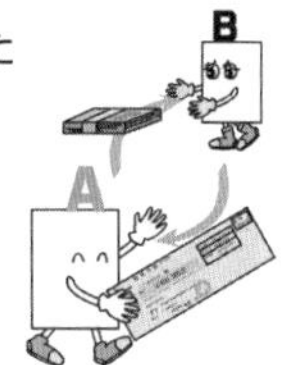

1A

仕入先から利息￥2,700の約束で￥80,000を現金で借り入れ、借用証書を発行した。なお、利息は満期日に支払うこととなっている。

(借)現　金	80,000	(貸)借 入 金	80,000

1B

利息分を差し引かれて借り入れた場合の仕訳

(借)現　金	77,300	(貸)借 入 金	80,000*3
支払利息	2,700		

＊3 借用証書の金額になります。

IF 借用証書の代わりに手形を振り出したら

1C

借用証書の代わりに手形を振り出した場合の仕訳

(借)現　金	80,000	(貸)手形借入金*4	80,000

＊4 借用証書に比べ、手形の方が印紙代が安く済み、節約できます。

1D

利息分を差し引かれて借り入れた場合の仕訳

(借)現　金	77,300	(貸)手形借入金	80,000
支払利息	2,700		

2A 2B 返ってきた

2A 満期となり、貸付金￥80,000が利息￥2,700とともに、当座預金口座に振り込まれた。

(借)	当座預金	82,700	(貸) 貸付金	80,000
			受取利息	2,700

2B 利息分を差し引いて貸し付けていた場合の仕訳

(借)	当座預金	80,000	(貸) 貸付金	80,000

IF 借用証書の代わりに手形を受け取ったら

2C 借用証書の代わりに手形を受け取っていた場合の仕訳

(借)	当座預金	82,700	(貸) 手形貸付金	80,000
			受取利息	2,700

2D 利息分を差し引いて貸し付けていた場合の仕訳

(借)	当座預金	80,000	(貸) 手形貸付金	80,000

2A
満期となり、借入金￥80,000を利息￥2,700とともに当座預金口座から振り込んで支払った。

(借)	借入金	80,000	(貸) 当座預金	82,700
	支払利息	2,700		

2B
利息分を差し引かれて借り入れていた場合の仕訳

(借)	借入金	80,000	(貸) 当座預金	80,000

IF 借用証書の代わりに手形を振り出したら

2C
借用証書の代わりに手形を振り出していた場合の仕訳

(借)	手形借入金	80,000	(貸) 当座預金	82,700
	支払利息	2,700		

2D
利息分を差し引かれて借り入れていた場合の仕訳

(借)	手形借入金	80,000	(貸) 当座預金	80,000

問題 19 手形貸付金（貸付時）

／ ／ ／

神奈川商店に資金￥40,000を貸し付けるため、同店振出しの約束手形を受け取り、同日中に当社の当座預金より神奈川商店の銀行預金口座に同額を振り込んだ。なお、利息￥1,000は返済時に受け取ることとした。

借方科目	金額	貸方科目	金額
手形貸付金	40,000	当座預金	40,000

ポイント

・手形を受け取って貸し付けた場合、『手形貸付金』として処理します。
なお、回収時には、次の仕訳を行います。

(借)現金等	41,000	(貸)手形貸付金	40,000
		受取利息	1,000

・利息を貸付時に差し引いて貸し出す場合、『受取利息』を計上し、手形貸付金の総額から利息分を差し引いた残額を、当座預金より振り込むことになります。

(借)手形貸付金	40,000	(貸)当座預金	39,000
		受取利息	1,000

Check!

手形貸付（融通手形）はなぜ危険か

手形の取引は、一つの会社で考えてみると「商品を仕入れ、手形を振出し、その商品を販売し、代金を回収し、そのお金で手形を精算する」という流れになります。つまり、手形の裏に商品の売買があり、その代金で手形を決済できるのです。

しかし、手形借入のように借用証書代わりに手形を使った場合にはこのような商品売買がありません。単純に決済資金が用意できなければ「手形の不渡り」となり、信用が失墜することになるのです。

問題20 手形借入金（借入時）

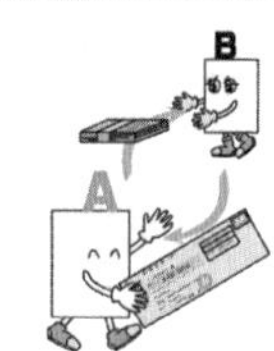

約束手形を振り出して￥40,000を借り入れ、その全額が当座預金の口座に振り込まれた。なお、利息￥1,000は返済時に支払うこととした。

借方科目	金額	貸方科目	金額
当座預金	40,000	手形借入金	40,000

ポイント

- 「全額が当座預金の口座に振り込まれた」とあるだけでも、利息分は差し引かれていないと判断できます。
- 手形を振り出して借り入れた場合、『手形借入金』として処理します。
- 利息を借入時に差し引かれた場合、『支払利息』を計上し、手形借入金の総額から利息分を差し引かれた残額が、当座預金に振り込まれることになります。

(借)当座預金	39,000	(貸)手形借入金	40,000
支払利息	1,000		

Check!

現代版手形借入金＝コマーシャルペーパー

簿記で想定している手形借入金は、借入れをする相手に、借用証書の代わりに手形を発行することですが、短期の借入の手段にはコマーシャルペーパーというシステムもあります。例えば、金融市場において、自社が振り出した100万円の約束手形を、98万円で買ってもらって現金を獲得するという方法です。

発行した当社は、手形の期日までに手形額面の100万円を返済し、その手形を買い戻すのです。

コマーシャルペーパーを買う側にとっては、いずれ100万円になる手形を98万円で購入した、ということになるシステムです。（差額の2万円が受取利息相当額になります。）

問題 21 貸付金（回収時）

／ ／ ／

得意先新潟商店に期間９か月、年利率 4.5% で¥80,000 を借用証書にて貸し付けていたが、本日満期日のため利息とともに同店振出しの小切手で返済を受けたので、ただちに当座預金に預け入れた。

借方科目	金額	貸方科目	金額
当座預金	82,700	貸付金	80,000
		受取利息	2,700

受取利息：¥80,000 × 4.5% × $\frac{9か月}{12か月}$ = ¥2,700

当座預金：¥80,000 + ¥2,700 = ¥82,700

ポイント

- 「4.5%」は、あくまでも「年利」です。解答作成上、１か月の利息として「¥300 ／月」をメモし、月数を掛けることを忘れないようにしましょう。
- 借用証書による貸付けは、『貸付金』として処理します。
- 「ただちに当座預金に預け入れた」とあるので、『当座預金』を増加させます。

Check! 「ただちに」の風景

よく簿記の問題で「小切手を受け取り、ただちに当座預金に預け入れた。」とあります。

みなさんは、この場面をどのようにイメージするでしょうか？

「受け取った小切手を握り締め、銀行に駆け込む。」そんな不自然な場面、ないですよね。よく商店街の中に○○信用金庫といった金融機関が入っていることがあります。この商店街は、○○信用金庫のテリトリーで、お店が閉まる時間になると信用金庫の職員が日々の売上代金の集金に来るのです。その人に、今日受け取った小切手を渡し、当社の口座に入金してもらう。これを「ただちに当座預金に預け入れた。」と言っているのです。

問題22 借入金（返済時）

取引銀行から借入期間150日、年利率2.19%として¥200,000を借り入れていたが、支払期日が到来したため、元利合計を当座預金から返済した。なお、利息は1年を365日として日割計算する。

借方科目	金額	貸方科目	金額
借入金	200,000	当座預金	201,800
支払利息	1,800		

支払利息：¥200,000×2.19%×$\frac{150日}{365日}$＝¥1,800
当座預金：¥200,000＋¥1,800＝¥201,800

ポイント

・「元利合計を当座預金から返済した」とあるので、元本の借入金（¥200,000）の他に利息（¥1,800）も含めて返済していることがわかります。

・利息は、うるう年でも1年を365日として計算します。ちなみにアメリカでは、1年を360日として計算するそうです。

Check! こんなに違う！借用証書と手形の印紙代

借用証書にしても、手形にしても、借り入れた側が作成し、印紙の添付も行います。

例えば、借用証書を発行して1,000万円を借入れた場合の印紙代は、10,000円。これに対して、手形を振出して借入れた場合なら印紙代は2,000円で済みます。

結構大きな差になるので「借用証書の代わりに手形」という話になるのです。

問題 23 当座勘定照合表からの仕訳

／ ／ ／

取引銀行のインターネットバンキングサービスから当座勘定照合表（入出金明細）を参照した。8月20日について必要な仕訳を答えなさい。

X8年9月2日

当座勘定照合表

株式会社ＮＳ商事　様

東京銀行千代田支店

取引日	摘要	お支払金額	お預り金額	取引残高
8.20	融資ご返済	800,000		省略
8.20	融資お利息	6,400		

借方科目	金　額	貸方科目	金　額
借入金	800,000	当座預金	806,400
支払利息	6,400		

ポイント

・融資とは、銀行から見れば、資金を融通すること、すなわち資金を貸し付けることをいいます。会社から見れば、資金を借り入れることをいいます。

・「融資ご返済」は、借入金の返済ですから、『借入金』を取り崩します。

Check! 1日1取引の法則

誰が（本問では東京銀行）誰に（ＮＳ商事）に出した表なのかを意識しましょう。

また、本問のような場合、取引日が同日（8.20）であることから、1つの取引であるとして解答します。

問題 24 役員貸付金

5月1日に、当社の常務取締役Z氏に資金を貸し付ける目的で¥730,000の小切手を振り出した。ただし、その重要性を考慮して貸付金勘定ではなく、役員貸付けであることを明示する勘定を用いることとした。なお、貸付期間は最長3か月、利率は年利4％で利息は1年を365日として日割計算し、返済時に元金とともに受け取る条件となっている。

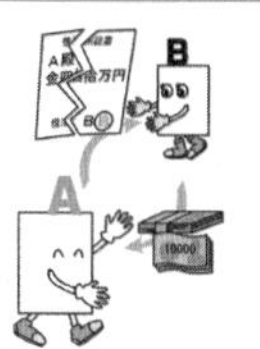

借方科目	金額	貸方科目	金額
役員貸付金	730,000	当座預金	730,000

ポイント

・役員など、会社の内部者に資金を貸し付けると、回収が滞っても厳しく対応できない可能性があります。このような事情から内部者に対する貸付けは、相手を明示する勘定科目を用いることがあります。

・本問で、仮に5月31日に役員からの返済が現金であった場合、次の仕訳になります。

(借)		(貸)	
現金	732,480	役員貸付金	730,000
		受取利息	2,480 ※1

※1　受取利息：¥730,000 × 4％ ÷ 365日 = ¥80（1日あたりの利息）
¥80 × 31日(貸付期間) = ¥2,480

・利息は、月割(月単位)で出題されることが多いのですが、原則として利息はすべて日割(1日単位)で計算するものです。

Check! 社長が会社のお金を持ち出した〜！

従業員が、勝手に会社のお金を持ち出すと「横領」という話になるのですが、社長が会社のお金を持ち出しても会社のために使うかも知れないので、すぐに犯罪となることはないでしょう。

このようなときの借方項目に用いられるのが「役員貸付金」なのです。

2. 受取手形・支払手形

受取側

① A 商店は B 商店に商品￥20,000 を販売し、代金は B 商店振出しの約束手形で受け取った。

(借)受　取　手　形[*1] 20,000　(貸)売　　　　上　20,000

＊1 手形を受け取れば、常に『受取手形』
『受取○○』となるもので唯一、収益ではなく、のちにお金を受け取ることができる権利を表す資産です。

② A 商店はC商店に対する売掛金￥10,000 を同店振出しの約束手形で回収した。

(借)受　取　手　形[*2] 10,000　(貸)売　掛　金　10,000

＊2 掛代金の回収として受け取ることもあります。

この時点で決算となると、C 商店から受け取っている手形（受取手形￥10,000）は、貸倒引当金の設定対象となります。

③ B商店から受け取っていた￥20,000 の約束手形が満期となり、当社の普通預金口座に振り込まれた。

(借)普　通　預　金　20,000　(貸)受　取　手　形　20,000

支払側

① 手形で仕入れた

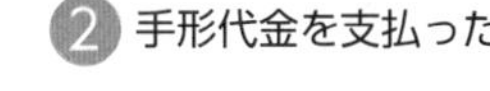

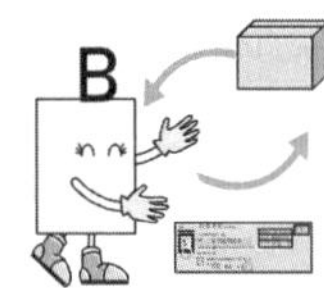

①
B商店はA商店より商品¥20,000を仕入れ、代金は約束手形を振り出して支払った。

(借)仕　　入　20,000　(貸)支払手形[*1]　20,000

＊1 約束手形の振出しは『支払手形』
『支払○○』となるもので唯一、費用ではなく、のちにお金を支払う義務を表す負債です。
なお、手形には、為替手形もありますが、3級の出題範囲外ですし、実務的にも使われていないので、「手形＝約束手形」と考えてよいです。

②
A商店に振り出していた¥20,000の約束手形が満期となり、代金は当社の当座預金口座から引き落とされた。

(借)支払手形　20,000　(貸)当座預金　20,000

Check!

約束手形　2026年没　享年144歳

先進国で唯一残っている手形で支払いをする風習。これが2026年に終わる予定になっています。始まりは1882年とのことで、実に144年もの間、手形を決済手段に使っていたことになります。電子化の波が来て、やっと終わりになるようです。
もちろん、試験にも出なくなることでしょう。

問題 25 約束手形の受け取り（受取手形） ／／／

ＮＳ商事は、群馬商店に商品￥50,000を販売したさいに、さきに掛けで販売したときの代金￥30,000と合わせて￥80,000の約束手形を受け取った。

借方科目	金　額	貸方科目	金　額
受取手形	80,000	売上	50,000
		売掛金	30,000

ポイント

・手形の受取りは、売上時にも売掛金回収時にも行われます。

・ＮＳ商事は、過去に次の仕訳を行っています。

(借)売　掛　金 30,000　(貸)売　　　上 30,000

・手形が満期になると、次の仕訳が行われます。

(借)現　金　等 80,000　(貸)受 取 手 形 80,000

過去(カッコ)の仕訳

簿記の問題の中には過去に行った仕訳が前提となっている問題があります(特に手形の問題で多いです)。このような問題を確実に正解するには、過去の仕訳をいったん行ってから、要求されている今の仕訳を作成するのが安全な方法です。

このとき、過去の仕訳と今の仕訳を区別するために、私は過去の仕訳には必ず(　　)付けています。

過去の仕訳に(カッコ)をつける。単なるダジャレでした。

問題26 約束手形の振り出し（支払手形）

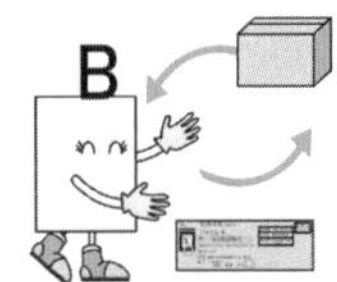

群馬商店は、ＮＳ商事より商品￥50,000を仕入れたさいに、さきに掛けで仕入れていたさいの代金￥30,000と合わせて￥80,000の約束手形を振り出した。

借方科目	金　額	貸方科目	金　額
仕　入	50,000	支払手形	80,000
買掛金	30,000		

ポイント

・約束手形の振出しは、仕入時にも買掛金支払時にも行われます。

・群馬商店は、過去に次の仕訳を行っています。

(借)仕　　　　入 30,000　(貸)買　掛　金 30,000

・手形が満期になると、次の仕訳が行われます（当座預金からの引落しと仮定）。

(借)支 払 手 形　80,000　(貸)当 座 預 金　80,000

Check!

空手形を切ろう！

満期日になっても支払えない手形を振り出す（手形を切る）ことを“空手形を切る”などといい、「守れない約束をする」という意味で用いられます。

しかし試験では、「1か月後に3級に合格する！」と周りに宣言して、頑張って勉強する、というのも1つの方法です。

今は空手形でも、1か月頑張れば中身がしっかりと詰まった手形にできるのですから。

問題 27 当座勘定照合表からの仕訳

取引銀行のインターネットバンキングサービスから当座勘定照合表（入出金明細）を参照した。8月25日について必要な仕訳を答えなさい。小切手（№.106）は8月19日以前に振り出したものである。

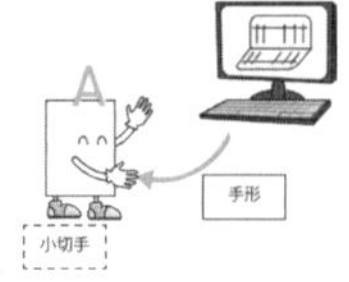

X8年9月2日

当座勘定照合表

株式会社国立府中商事　様

東京銀行千代田支店

取引日	摘要	お支払金額	お預り金額	取引残高
8.25	小切手引落（No.106）	50,000		省略
8.25	手形引落（No.550）	300,000		

借方科目	金額	貸方科目	金額
支払手形	300,000	当座預金	300,000

ポイント

・「小切手(№.106)は8月19日以前に振り出したもの」なので、「小切手引落(№.106)」は振り出したときに、すでに仕訳を行っています。

(借)買掛金等　50,000　(貸)当座預金　50,000

したがって、引き落とされた日である8月25日には仕訳を行いません。

Check! 受け取った小切手を現金扱いする理由

小切手をよく見ると、あて先は銀行などの金融機関になっています。そして、金額の下の文言には「この金額をお支払いください。」と書いてあります。

つまり、銀行宛に「お支払いください」という証券なので、信用度が高く、受け取った人は現金として扱えるのです。

省略とメモリー機能で電卓上手

スピードアップのための電卓術（ワザ）

電卓の上手な使い方をマスターすればスピードアップが図れ、得点力がアップします。
電卓を使いこなすテクニックを修得しましょう。

3つの省略テクニックでスピードUP

今までふつうに叩いていたキーを省略してスピードアップを図りましょう。

省略テクニック❶「計算途中の = キーは省略できる」

練習問題

片道の交通費が電車賃200円とバス代100円です。往復だといくらでしょうか？

計算式：（200円＋100円）×2＝600円

普通の使い方：2 00 + 1 00 = × 2 = 600

テクニック 2 00 + 1 00 × 2 = 600

Point = キーは省略できます。

省略テクニック❷「0 を省略」

練習問題

販売価格1,000円で原価率60％（0.6）の商品の原価はいくらでしょうか？

計算式：1,000円×0.6＝600円

普通の使い方：1 00 0 × 0 . 6 = 600

テクニック 1 00 0 × . 6 = 600

Point 0 は省略できます。

省略テクニック❸「% キーを使って = キーを省略」

練習問題

販売価格1,000円で原価率60％（0.6）の商品の原価はいくらでしょうか？

テクニック 1 00 0 × 6 0 % 600

Point = キーを押す必要はありません。

3. 電子記録債権・電子記録債務

① 債権が電子化した

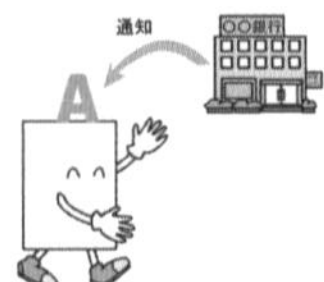

② 入金された

①
売掛金￥16,000の回収に関して、電子債権記録機関から取引銀行を通じて債権の発生記録の通知を受けた。

(借)電子記録債権*1　16,000　(貸)売　掛　金　16,000

＊1　電子記録債権に対しても貸倒引当金を設定します。

②
電子債権記録機関より発生記録の通知を受けていた電子記録債権の支払期日が到来し、当座預金の口座に￥16,000が振り込まれた。

(借)当座預金　16,000　(貸)電子記録債権　16,000

Check!

電子記録債権のメリット

電子化には、債権者と債務者、双方の合意が必要です。

では、債権者のメリットは何でしょうか？

それは、約束手形と違って、部分的に換金できることが挙げられます。「100万円の電子記録債権のうち、30万円だけを金融機関に売却する」といったことができるのです（２級の出題範囲）。

このような事情で、手形はどんどん電子記録化されていっているのです。

① 債務を電子化した

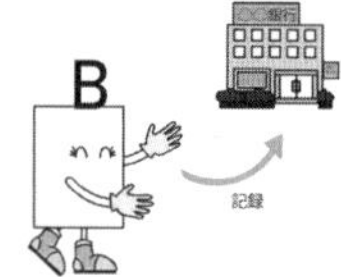

② 支払った

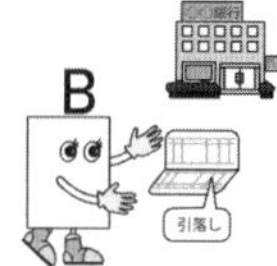

①
買掛金のうち取引銀行を通じて債務の発生記録を行った電子記録債務￥16,000の振替処理が漏れていることが判明した。

(借)買　掛　金　16,000　(貸)電子記録債務　16,000

②
取引銀行を通じて債務の発生記録を行った電子記録債務の支払期日が到来し、当座預金の口座から￥16,000が引き落とされた。

(借)電子記録債務　16,000　(貸)当 座 預 金　16,000

電子記録債務のメリット

売買は、買う側(債務者側)の立場が強いものです。
では、電子記録化することでの債務者のメリットは何でしょうか？
それは、約束手形の振出しと違って、収入印紙を貼らなくて済むようになる、ということです。
その分、コスト(租税公課)が削減できるのです。

問題 28　電子記録債権の発生

島根商事に対する売掛金￥16,000の回収に関して、電子債権記録機関から取引銀行を通じて債権の発生記録の通知を受けた。

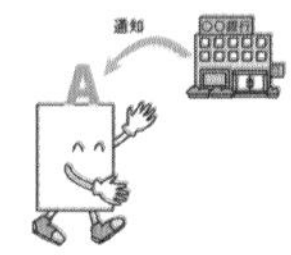

借方科目	金　額	貸方科目	金　額
電子記録債権	16,000	売　掛　金	16,000

ポイント

・債権者または債務者が、電子債権記録機関に発生記録の請求を行い、同機関が記録を行うことで、電子記録債権は発生します。

・債権者は、『電子記録債権』で処理します。

・受取手形と同様に、**貸倒引当金の設定対象**となります。

問題 29　電子記録債権の消滅

電子債権記録機関より発生記録の通知を受けていた電子記録債権の支払期日が到来し、当座預金の口座に￥16,000が振り込まれていたが、決算日現在、この取引の記帳はまだ行っていなかった。

借方科目	金　額	貸方科目	金　額
当　座　預　金	16,000	電子記録債権	16,000

ポイント

・債務者の預金口座から債権者の預金口座に、振込みによる支払いが行われた場合、電子債権記録機関が金融機関から通知を受け、入金記録を行うことで電子記録債権は消滅します。

問題30 電子記録債務の発生

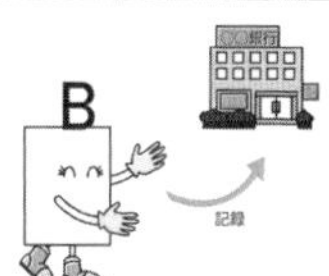

買掛金のうち取引銀行を通じて債務の発生記録を行った電子記録債務￥16,000の振替処理が漏れていることが判明した。

借方科目	金額	貸方科目	金額
買掛金	16,000	電子記録債務	16,000

ポイント

・債権者または債務者が、電子債権記録機関に発生記録の請求を行い、同機関が記録を行うことで、電子記録債務は発生します。

・債務者は、『電子記録債務』で処理します。

問題31 電子記録債務の消滅

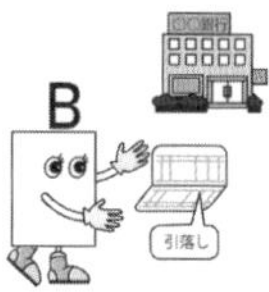

取引銀行を通じて債務の発生記録を行った電子記録債務の支払期日が到来し、当座預金の口座から￥16,000が引き落とされていたが、決算日現在、この取引の記帳はまだ行っていなかった。

借方科目	金額	貸方科目	金額
電子記録債務	16,000	当座預金	16,000

ポイント

・債務者の預金口座から債権者の預金口座に、振込みによる支払いが行われた場合、電子債権記録機関が金融機関から通知を受け、支払い記録を行うことで電子記録債務は消滅します。

以下の取引の内容を言ってみましょう。

債権と債務編

問題19

手形貸付金	40,000	当座預金	40,000

問題20

当座預金	40,000	手形借入金	40,000

問題21

当座預金	82,700	貸付金	80,000
		受取利息	2,700

問題22

借入金	200,000	当座預金	201,800
支払利息	1,800		

問題23

借入金	800,000	当座預金	806,400
支払利息	6,400		

問題24

役員貸付金	730,000	当座預金	730,000

受取手形・支払手形編

問題25

借方科目	金額	貸方科目	金額
受取手形	80,000	売上	50,000
		売掛金	30,000

問題26

借方科目	金額	貸方科目	金額
仕入	50,000	支払手形	80,000
買掛金	30,000		

問題27

借方科目	金額	貸方科目	金額
支払手形	300,000	当座預金	300,000

電子記録債権・電子記録債務編

問題28

借方科目	金額	貸方科目	金額
電子記録債権	16,000	売掛金	16,000

問題29

借方科目	金額	貸方科目	金額
当座預金	16,000	電子記録債権	16,000

問題30

借方科目	金額	貸方科目	金額
買掛金	16,000	電子記録債務	16,000

問題31

借方科目	金額	貸方科目	金額
電子記録債務	16,000	当座預金	16,000

省略とメモリー機能で電卓上手

スピードアップのための電卓術（ワザ）

電卓の上手な使い方をマスターすればスピードアップが図れ、得点力がアップします。
電卓を使いこなすテクニックを修得しましょう。

メモリー機能を使いこなそう

>>>

「計算途中の結果を紙にメモした」経験がありませんか。でも電卓が覚えてくれるなら、その方が楽ですね。

紙に書く代わりに電卓に覚えさせるメモリー機能を使ってスピードアップを図りましょう。

メモリー機能は次の４つのキーで操作します。

キー	呼び方	機能
M＋	メモリープラス	画面の数字を電卓のメモリーに加算し（足し込み）ます。
M－	メモリーマイナス	画面の数字を電卓のメモリーから減算し（引き）ます。
RM または MR	リコールメモリー	メモリーに入っている数字を画面に表示します。
CM または MC	クリアメモリー	メモリーに入っている数字をクリア（ゼロ）にします。

メモリー機能の練習

練習問題

100円の商品を３個と200円の商品を５個購入しました。総額でいくらでしょうか。

操作	電卓の表示	機能	メモリーの値
CA または AC と MC	0	計算結果やメモリーを全てクリアします。	0
1 00 × 3 M＋	300	メモリーに300を加算します。	300
2 00 × 5 M＋	1,000	メモリーに1,000を加算します。	1,300
RM または MR	1,300	メモリーに入っている数字を表示します。	1,300

第3部

費用の支払い

1.費用の支払い

インプレスト・システム

1 お金を預ける　2 報告する　3 補充する

1

小口現金係に、小口現金として￥4,000を小切手を振り出して預けた。

(借)小口現金　4,000　(貸)当座預金　4,000

あくまでも、経理担当が仕訳をする人です。

2

小口現金係から交通費￥1,780、消耗品費￥1,340、雑費￥440を支払ったとの報告を受けた。

(借)旅費交通費　1,780　(貸)小口現金　3,560
　　消耗品費　1,340
　　雑　　費　440

小口現金係は、部署内の日々の支払いを小口現金から行い、週末などに経理担当に報告します。

3

小口現金として小切手を振り出し、￥3,560を補充した。

(借)小口現金　3,560　(貸)当座預金　3,560

経理担当は、小口現金の使った金額を、小口現金係に渡します。
翌週はまた、小口現金は¥4,000からスタートします。

ただちに補充した場合

報告を受け、ただちに補充した(②と③を同時に行う)場合には、小口現金勘定を通す意味がないので、次の処理になります。

(借)		(貸)	
旅費交通費	1,780	当座預金	3,560
消耗品費	1,340		
雑費	440		

小口現金関連でよく用いられる勘定は次の通りです。

電車代* ➡『旅費交通費』
切手代、携帯電話代 ➡『通信費』
土地の賃借料 ➡『支払地代』
文房具代 ➡『消耗品費』
茶菓代 ➡『雑費』
収入印紙代 ➡『租税公課』
手数料 ➡『支払手数料』
＊ 支払用ＩＣカードへの入金を含む

『手数料』は問題に書いてある

「手数料」というのは、微妙な表現です。広告宣伝を依頼した時の広告会社の取り分(利益)は、広告手数料と言えなくもないし、修繕費も材料代以外は手数料と言えなくもない。

ですから簿記の問題で、「○○手数料」と解答させるときには、問題文に『手数料として』といった文章が出てきます。

問題文に『手数料』とあれば「○○手数料」勘定を使い、それ以外のときは使わない、としておきましょう。

問題32 費用の支払い（小口現金）

／　／　／

　小口現金係から、次のような支払の報告を受けたため、ただちに小切手を振り出して資金を補給した。なお、当社では、定額資金前渡制度（インプレスト・システム）により、小口現金係から毎週金曜日に一週間の支払報告を受け、これにもとづいて資金を補給している。支払額はすべて費用計上する。

　交通費￥1,780　消耗品費￥1,340　雑費￥440

借方科目	金　額	貸方科目	金　額
旅費交通費	1,780	当座預金	3,560
消耗品費	1,340		
雑　費	440		

当座預金：￥1,780＋￥1,340＋￥440＝￥3,560

ポイント

・「ただちに小切手を振り出して資金を補給した」とあるので、小口現金勘定を通さない処理であるとわかります。

問題33 費用の支払い（租税公課）

／　／　／

　建物および土地の固定資産税￥10,000の納付書を受け取り、未払金にすることなく、ただちに現金で納付した。

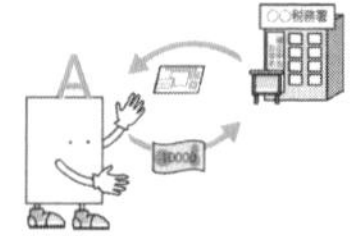

借方科目	金　額	貸方科目	金　額
租税公課	10,000	現　金	10,000

ポイント

・会社にとって、利益の額に比例する法人税、住民税、事業税がメインの税金であり、これには『法人税等』勘定を用いて処理します。
・一方、固定資産税や印紙税（収入印紙代）といった、「その他の税金」は『租税公課』勘定を用いて処理します。

問題34 費用の支払い（旅費交通費） ／ ／ ／

営業活動で利用する電車およびバスの料金支払用ＩＣカードに現金￥6,000をチャージ（入金）し、領収証の発行を受けた。なお、入金時に全額費用に計上する方法を用いている。

借方科目	金額	貸方科目	金額
旅費交通費	6,000	現金	6,000

ポイント

・「電車およびバスの料金支払用」なので、『旅費交通費』となります。
・チャージしたさいに仮払金勘定で処理しておき、使用分を旅費交通費とする処理もあります。

チャージ時：(借) 仮払金 6,000 (貸) 現金 6,000
使用時：(借) 旅費交通費 220 (貸) 仮払金 220

問題35 費用の支払い（広告宣伝費） ／ ／ ／

広告費用￥7,000を当社の普通預金口座から先方の当座預金口座に振り込んで支払った。なお、振込手数料￥300は先方負担である。

借方科目	金額	貸方科目	金額
広告宣伝費	7,000	普通預金	7,000

ポイント

・振込手数料は先方負担なので、仕訳はありません。
・なお、先方（広告会社）の仕訳は次のようになります。

(借)当座預金 6,700 (貸)売上 7,000
　　支払手数料 300

問題 36　費用の支払い（支払地代）

／　／　／

店舗の駐車場として使用している土地の本月分賃借料￥10,000 を当社の普通預金口座から先方の当座預金口座に振り込んで支払った。なお、当方負担の振込手数料￥300 も普通預金口座から引き落とされた。

借方科目	金　額	貸方科目	金　額
支払地代	10,000	普通預金	10,300
支払手数料	300		

ポイント

・「土地の賃借料」とあるので、『支払地代』として処理します。
・当方負担の振込手数料は『支払手数料』で処理します。
・なお、先方の仕訳は次のようになります。
(借)当　座　預　金　10,000　(貸)受　取　地　代　10,000

問題 37　費用の支払い（郵送代金）

／　／　／

買掛金の支払いとして￥50,000 の約束手形を振り出し、仕入先に対して郵送した。なお、郵送代金￥500 は現金で支払った。

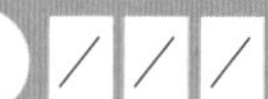

借方科目	金　額	貸方科目	金　額
買掛金	50,000	支払手形	50,000
通信費	500	現金	500

ポイント

・郵送代金は、『通信費』として処理します。
・通信費は「情報の流通に関する費用」であり、インターネットの接続費用なども含まれます。

問題38 従業員が立て替えた費用

従業員が業務のために立て替えた1か月分の諸経費は次のとおりであった。なお、当社では従業員が立て替えた金額は翌月の給料に含めて支払うこととしており、未払金として計上した。

電車代¥2,100　タクシー代¥1,800

書籍代（消耗品費）¥1,200

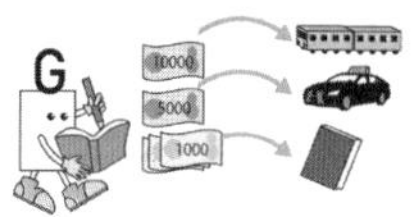

借方科目	金額	貸方科目	金額
旅費交通費	3,900	未払金	5,100
消耗品費	1,200		

ポイント

・「旅費交通費」は、人の移動に関する費用なので、電車代もタクシー代も含まれます。

Check! インプレストシステムはもう古い

昔、封筒に現金を入れて給料を支払っていた頃は月ごとに支払い額を変えるのは大変なことでした。しかし、情報がデジタル化された現代では、毎月、個人ごとに金額を変えて支払うことが容易になりました。

そこで、支払担当を置かなければならないインプレストシステムに代えて、個人ごとに立替えた金額を報告させて、その額を次月の給料に上乗せして支払う形が用いられるようになってきています。

問題 39　消耗品の購入

事務作業に使用する物品を購入し、品物とともに次の請求書を受け取り、代金は後日支払うこととした。

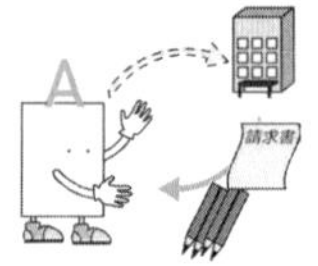

請求書

株式会社ＮＳ商事　様

平川商会株式会社

品　物	数量	単価	金額
コピー用紙（500 枚入）	15	600	¥ 9,000
プリンターインク	4	1,500	¥ 6,000
カラーペン（20 本入）	20	700	¥14,000
送料	−	−	¥　500
	合計		¥29,500

X2 年 2 月 27 日までに合計額を下記口座へお振込み下さい。
B銀行平川支店　普通　1234567　ヒラカワシヨウカイ（カ

借方科目	金　額	貸方科目	金　額
消耗品費	29,500	未払金	29,500

ポイント

- 商品以外の売買に関する未払いは、『未払金』として処理します。
- 送料は、消耗品を購入するために必要なもの（付随費用）なので、『消耗品費』に含めて処理します。

問題40 領収書による費用の支払い

／ ／ ／

　出張旅費を本人が立て替えて支払っていた従業員O氏が出張から帰社し、下記の領収書を提示したので、当社の普通預金口座から従業員の指定する普通預金口座へ振り込んで精算した。

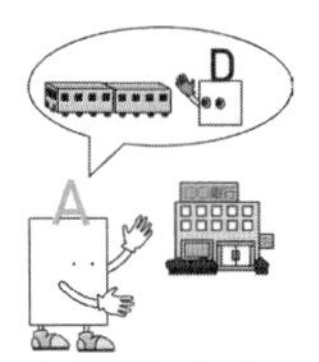

No.1632
X2年9月7日

領　収　書

株式会社ＮＳ物産　様

￥　41,800

但し　旅客運賃として
上記金額を正に領収いたしました。

銀河鉄道株式会社（公印省略）
サザンクロス駅発行　取扱者かおる子（捺印省略）

借方科目	金額	貸方科目	金額
旅費交通費	41,800	普通預金	41,800

ポイント

・出張旅費を立て替えたのは、会社ではなく、従業員であるため、仮払金は用いません。

Check! 消耗品が買うといきなり費用になる理由

　コピー用紙やペンといった消耗品は、換金価値が乏しいため、購入時にいきなり費用にしてオシマイです。
　ちなみに切手や収入印紙は換金性が高い(チケットショップで売買できる)ので、決算時に未使用分を「貯蔵品」という資産に振替えます。

問題 41　報告書及び領収書による費用の支払い

従業員が出張から戻り、下記の報告書及び領収証を提出したので、本日、全額を費用として処理した。旅費交通費など報告書記載の金額は、その全額を従業員が立替えて支払っており、月末に従業員に支払うことにしている。

なお、電車代は領収書なしでも費用に計上する。

旅費交通費等報告書

矢来清郎

移動先	手段等	領収書	金　額
九条商店	電車	無	6,100 円
ホテル三密	宿泊	有	3,330 円
帰　社	電車	無	6,100 円
	合　計		15,530 円

領　収　書

NS商事（株）
矢来清郎 様

金　3,330 円

但し、宿泊料として

ホテル三密

借方科目	金　額	貸方科目	金　額
旅費交通費	15,530	未払金	15,530

ポイント

・報告書の裏面に領収書を添付する方法はよく用いられています。ただし電車代は、インターネットで調べれば検証できるので、領収書の添付を省略することがあります。

電卓の選び方・叩き方

みなさんは今、どんな電卓を使っていますか？

試験会場においては、携帯電話の電卓機能では携帯電話自体が使用できないので、すぐに電卓を購入しましょう。

また、この他にもプリンター内蔵のものやメロディー音の出るもの、そして電子手帳といったものは持込みが禁止されていますが、認められている範囲の中でもいろいろな電卓があります。

では、「電卓の選び方」です。

60分しかない解答時間を有効に活用するためには、電卓の選択は意外と重要です。

電卓は、自分の人さし指、中指、薬指の３本をあわせた幅と、電卓のテンキー（数字のキー）幅が一致するものが、使いやすいといわれていますし、私もそう感じます。

特に小さすぎる電卓をお持ちの方は、すぐに買い換えて、試験までに使い込んでおくようにしましょう。１級を視野に入れているのであれば、「√（ルート）」キーがあるものを選びましょう。

次に、「電卓のたたき方」です。

理想は、左手でのブラインドタッチ（右利き）ですが、私のように「右手でないと叩けない」しかも「ブラインドタッチができない」という方もいらっしゃるかと思います。

でも、大丈夫です。電卓は早く叩けるのに越したことはありませんが、早く叩くよりも正確に叩くことのほうが大事です。

ただ、鉛筆との持替えにかかる時間がもったいないので、小指と薬指とで鉛筆を握ったまま、中指、人さし指、親指（０または＋キー専用）の３本を使って叩けるようにしておくといいでしょう。

ちなみにペーパーの統一試験では、鉛筆、シャープペンシル、消しゴム以外の筆記用具の持込みが禁じられていますし、ネット試験ではペンも貸し出されたものを使うことになります。注意しましょう。

2. 決算処理と再振替

① 切手・印紙を買った　② 決算で残っていた　③ 期首だ

① 収入印紙￥8,000 と切手￥4,200 を現金で購入した。

(借)	租税公課*1	8,000	(貸)現金	12,200
	通信費	4,200		

＊1 印紙代のほか、固定資産税などの税金の支払時に用いる費用の勘定です。

② 決算となり調べたところ、収入印紙￥1,000 と切手￥1,050 が未使用のまま残っていた。

(借)	貯蔵品*2	2,050	(貸)租税公課	1,000
			通信費	1,050

＊2 期末に残っている未使用の収入印紙や切手は、換金性が高く資産としての価値があるので、貯蔵品勘定(資産の勘定)に振り替えます。
こうすることで、収入印紙代(租税公課)や切手代(通信費)は、当期に使用したもののみとなり、この額が損益計算書に記載されます。

③ 翌期首の日付で再振替仕訳を行った。*3

(借)	租税公課	1,000	(貸)貯蔵品	2,050
	通信費	1,050		

＊3 決算の仕訳と貸借逆の仕訳をします。
この仕訳を再振替仕訳といいます。
なお、再振替仕訳は、決算で前払費用、前受収益、未払費用、未収収益といった経過勘定を計上したときの翌期首にも同様に行われます。

問題 42 切手・印紙の購入 ／ ／ ／

郵便局で、200 円の収入印紙 40 枚と、63 円のはがき 40 枚、84 円の切手 20 枚を購入し、代金は現金で支払った。

借方科目	金額	貸方科目	金額
租税公課	8,000	現金	12,200
通信費	4,200		

租税公課：@￥200×40枚＝￥8,000
通信費：@￥63×40枚＋@￥84×20枚＝￥4,200

ポイント

- はがき代も切手代も「情報の流通に関する費用」なので、通信費となります。
- 『租税公課』は「○○費」でも「支払○○」でもありませんが、費用の科目の1つです。

問題 43 切手・印紙の決算整理 ／ ／ ／

決算にあたり、商品以外の物品の現状を調査したところ、すでに費用処理されている収入印紙（@￥200）5枚、はがき（@￥63）10 枚、切手（@￥84）5枚が未使用であることが判明したため、適切な勘定へ振り替える。

借方科目	金額	貸方科目	金額
貯蔵品	2,050	租税公課	1,000
		通信費	1,050

租税公課：￥200×５枚＝￥1,000
通信費：￥63×10枚＋￥84×５枚＝￥1,050

ポイント

- 『財蔵品』は、「名前を出す程のものではないが、一応資産として価値がある」というときに用いられる、いわば“名もなき資産”を表す科目です。

問題44 切手・印紙の再振替仕訳

翌期首にあたり、前期末に振り替えた勘定から元の勘定への再振替仕訳を行う。

借方科目	金額	貸方科目	金額
租税公課	1,000	貯蔵品	2,050
通信費	1,050		

ポイント

- 前期末に残っている収入印紙や切手は、次期には使って費用となる(ハズの)ものです。したがって期首にまとめて元の勘定に振り替えておきます。これを**再振替仕訳**といいます。
- **再振替仕訳**をすることで、次期に例えば¥200の収入印紙を使ったときに、いちいち以下の仕訳をすることを避けることができます。

(借)租税公課　200　(貸)貯蔵品　200

Check! 収入印紙を添付し、消印を押すことが必要な場合

① 領収証の発行：5万円以上の領収証に対して、200円
② 約束手形の発行：
10万円以上　100万円以下の場合　200円
100万円超　200万円以下の場合　400円
200万円超　300万円以下の場合　600円
つまり、収入印紙代って、一種の取引税なのです。

問題45 費用の前払い

当社は毎月28日に翌月分の家賃20,000円を現金で支払っている。

本日（3月31日）、決算となったため、すでに支払った4月分の家賃を前払分として計上する。

借方科目	金　額	貸方科目	金　額
前払家賃	20,000	支払家賃	20,000

ポイント

・3月28日に行なっていた仕訳は次のとおりです。

(借)支払家賃 20,000　(貸)現　　金 20,000

この支払家賃が4月分なので、**『前払家賃』**（資産）として次期に繰越します。

・翌期首の4月1日には、次の再振替仕訳を行います。

(借)支払家賃 20,000　(貸)前払家賃 20,000

こうすることにより、4月分の支払家賃が計上されます。

Check! 支払った費用の未経過分は資産

すでに支払った未経過分の費用（本問では支払家賃）を前払費用（本問では前払家賃）として資産に計上して次期に繰越します。これは、切手や収入印紙の未使用分を資産（貯蔵品）計上して次期に繰越すのと同じ考え方です。

こうすることで、資産も費用も正しく計上できます。

問題46 収益の前受け

当社は毎月28日に翌月分の家賃20,000円を現金で受け取っている。

本日（3月31日）、決算となったため、すでに受け取った4月分の家賃を前受分として計上する。

借方科目	金額	貸方科目	金額
受取家賃	20,000	前受家賃	20,000

ポイント

・ 3月28日に行なっていた仕訳は次のとおりです。

(借)現　　　　金 20,000　(貸)受 取 家 賃 20,000

この受取家賃が4月分なので、『前受家賃』（負債）として次期に繰越します。

・ 翌期首の4月1日には、次の再振替仕訳を行います。

(借)前 受 家 賃 20,000　(貸)受 取 家 賃 20,000

こうすることにより、4月分の受取家賃が計上されます。

Check! 受取った収益の未経過分は負債

すでに受取った未経過分の収益（本問では受取家賃）を前受収益（本問では前受家賃）として負債に計上して次期に繰越します。

こうすることで、負債も収益も正しく計上できます。

問題 47　費用の未払い　／ ／ ／

当社は 12 月1日に、600,000 円を、期間1年、年利２％で借り入れた。なお、利息は元本の返済時（11 月 30 日）に支払う約束となっている。

本日（３月 31 日）、決算をむかえたため、利息の未払分を月割りで計上する。

借方科目	金　額	貸方科目	金　額
支　払　利　息	4,000	未　払　利　息	4,000

¥600,000×２％÷12か月＝¥1,000（１か月あたりの利息）

¥1,000×４か月（12月１日～３月31日）＝¥4,000

ポイント

・翌期首の４月１日には、次の再振替仕訳を行います。

(借)未　払　利　息　4,000　(貸)支　払　利　息　4,000

こうすることにより、前期から繰り越されてきた『未払利息』（負債）が消去され、支払利息勘定では４か月分の4,000円が貸方残高として計上されて、１年が始まります。

Check!

その後どうなる？　支払利息の貸方残高

費用は、本来、借方残高になるものです。貸方残高となった支払利息はその後どうなるのでしょうか？

返済期日である11月30日になると、次の仕訳が行われます(利息の処理のみ)。

(借)支払利息　12,000 (貸)現金など　12,000

この結果、支払利息勘定は、借方に8,000円の残高となります。この金額は、当期中の借入期間(４月１日～11月30日) ８か月に相当する利息となり、損益計算書にも計上される金額となります。

支払利息	
12,000	4,000
	8,000 P/Lへ

問題 48 収益の未収

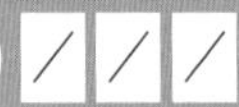

当社は12月1日に、600,000円を、期間1年、年利2％で貸し付けた。なお、利息は元本の回収時（11月30日）に受取る約束となっている。

本日（3月31日）、決算をむかえたため、利息の未収分を月割りで計上する。

借方科目	金額	貸方科目	金額
未収利息	4,000	受取利息	4,000

¥600,000×２％÷12か月＝¥1,000（１か月あたりの利息）

¥1,000×４か月（12月１日～３月31日）＝¥4,000

ポイント

・翌期首の４月１日には、次の再振替仕訳を行います。

(借)受取利息　4,000　(貸)未収利息　4,000

こうすることにより、前期から繰り越されてきた『未収利息』（資産）が消去され、受取利息勘定では４か月分の4,000円が借方残高として計上されて、１年が始まります。

Check! その後どうなる？　受取利息の借方残高

収益は、本来、貸方残高になるものです。借方残高となった受取利息はその後どうなるのでしょうか？

回収期日である11月30日になると、次の仕訳が行われます（利息の処理のみ）。

(借)現金など　12,000 (貸)受取利息　12,000

この結果、受取利息勘定は、貸方に8,000円の残高となります。この金額は、当期中の貸付期間（４月１日～11月30日）８か月に相当する利息となり、損益計算書にも計上される金額となります。

受取利息

借方	貸方
4,000	12,000
8,000 P/Lへ	

以下の取引の内容を言ってみましょう。

費用の支払い編

問題32

旅費交通費	1,780	当座預金	3,560
消耗品費	1,340		
雑費	440		

問題33

租税公課	10,000	現金	10,000

問題34

旅費交通費	6,000	現金	6,000

問題35

広告宣伝費	7,000	普通預金	7,000

問題36

支払地代	10,000	普通預金	10,300
支払手数料	300		

問題37

買掛金	50,000	支払手形	50,000
通信費	500	現金	500

問題38

旅費交通費	3,900	未払金	5,100
消耗品費	1,200		

問題39

消耗品費	29,500	未払金	29,500

問題40

旅費交通費	41,800	普通預金	41,800

問題41

旅費交通費	15,530	未払金	15,530

決算処理と再振替編

問題42

租税公課	8,000	現金	12,200
通信費	4,200		

問題43

貯蔵品	2,050	租税公課	1,000
		通信費	1,050

問題44

租税公課	1,000	貯蔵品	2,050
通信費	1,050		

問題45

前払家賃	20,000	支払家賃	20,000

問題46

受取家賃	20,000	前受家賃	20,000

問題47

支払利息	4,000	未払利息	4,000

問題48

未収利息	4,000	受取利息	4,000

第4部

一時的な処理

1.仮払金・仮受金

① とりあえず払った

② 精算した

会社は、資産管理を行わなければなりません。

中でも現金や預金は、特にきっちりと管理する必要があります。したがって、現金や預金に変動があったときは、まだ内容などが判明していなくても『仮払金』、『仮受金』といった勘定を用いて、一時的に処理しておきます。

①

従業員の出張にさいし、旅費の概算額 ￥6,000 を現金で支給した。

(借)		(貸)	
仮払金	6,000	現金	6,000

簿記で『仮』とくれば「とりあえず」と訳しましょう。
「とりあえず支払ったお金」で『仮払金』です。

②

出張から戻った従業員が旅費を精算し、残額 ￥300 を現金で受け取った。

(借)		(貸)	
現金	300	仮払金	6,000
旅費交通費	5,700		

『仮払金』など「仮」とつくものは、貸借対照表や損益計算書に記載することができないので、決算にさいして、別の科目に振り替えられます。

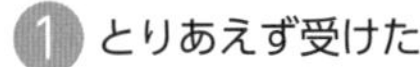

2 適正に処理した

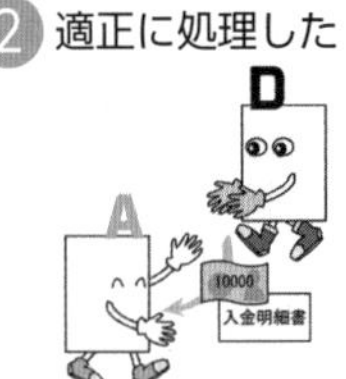

1 出張中の従業員から、当座預金口座へ¥19,600の振込みがあったが、内容は不明である。

(借)当座預金	19,600	(貸)仮受金	19,600

「とりあえず受取ったお金」で『仮受金』です。

2 上記の入金は、受領した手付金¥6,000と売掛金の回収¥13,600の合計であった。

(借)仮受金	19,600	(貸)前受金	6,000
		売掛金	13,600

『仮受金』も貸借対照表や損益計算書に記載されることはありません。
売掛金の回収となる場合、貸倒引当金の設定に影響するので注意しましょう。

問題 49 仮払金の発生

従業員の出張にあたり、旅費の概算額￥6,000を現金で支払った。

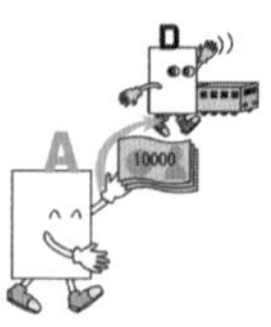

借方科目	金額	貸方科目	金額
仮払金	6,000	現金	6,000

ポイント

- 概算額を支払ったときに、『仮払金』として処理します。
- 相手が支払うべきものを支払ったわけではないし、貸し付けているわけでもないので、立替金や貸付金とはなりません。

問題 50 仮払金の精算（不足）

従業員の出張旅費の概算額として￥6,000を支払っていたが、本日、従業員が帰社し出張旅費を精算したところ、概算額よりも￥800多くかかり、従業員が立替えていたことが判明したため、この不足額を現金で支払った。

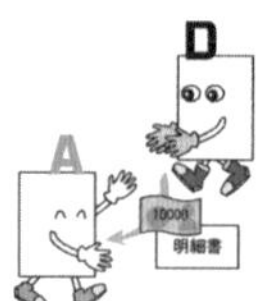

借方科目	金額	貸方科目	金額
旅費交通費	6,800	仮払金	6,000
		現金	800

旅費交通費：￥6,000＋￥800＝￥6,800

ポイント

- 概算額を支払ったときに、『仮払金』として処理しています。
- 旅費交通費＝概算額＋不足額
- 不足額を給料の支払時に上乗せして支払う場合、現金ではなく未払金を計上することになります。

問題 51 仮受金の発生

／ ／ ／

出張中の従業員から、当座預金口座へ¥19,600の振込みがあったが、その詳細は不明である。

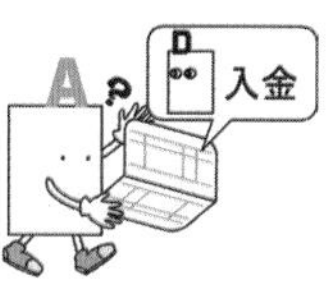

借方科目	金額	貸方科目	金額
当座預金	19,600	仮受金	19,600

ポイント

・内容不明の入金があった場合、『仮受金』として処理します。

問題 52 仮受金の原因判明

／ ／ ／

出張中の従業員から当座預金口座に振り込まれ、仮受金として処理していた¥19,600は、得意先福島商店から注文を受けたさいに受領した手付金¥6,000と、得意先群馬商店から回収した売掛代金¥13,600であることが判明した。

借方科目	金額	貸方科目	金額
仮受金	19,600	前受金	6,000
		売掛金	13,600

ポイント

・仮受金の内容が判明したら、適切な勘定科目に振り替えます。

2. 法人税等の処理

① 中間納付した

② 法人税等決まった

③ 納付した

①
法人税等の中間申告を行い、￥31,000を現金で中間納付した。

(借)仮払法人税等*1	31,000	(貸)現　　　金	31,000

＊1　法人税等の中間納付額は、当期の利益に対するものですが、当期の利益はまだわからない(＝税額もわからない)ため、一時的に「仮払」としておきます。よって『仮払法人税等』で処理します。

②
決算にあたり、法人税、住民税および事業税￥74,000を見積もった。なお、中間申告時に￥31,000を現金で納付し仮払法人税等に計上している。

(借)法人税、住民税及び事業税*2	74,000	(貸)仮払法人税等	31,000
		未払法人税等*3	43,000

＊2　『法人税、住民税及び事業税』は、『法人税等』を用いることもあります。
＊3　決算日の当日に納税するのではない(2か月後に納税)ので、未払分を『未払法人税等』で処理します。

③
未払法人税等￥43,000を現金で納付した。

(借)未払法人税等	43,000	(貸)現　　　金	43,000

問題53 法人税等（中間納付）　／／／

中間申告を行い、法人税￥20,000、住民税￥5,000および事業税￥6,000を現金で納付した。

借方科目	金額	貸方科目	金額
仮払法人税等	31,000	現金	31,000

仮払法人税等：￥20,000＋￥5,000＋￥6,000＝￥31,000

ポイント

- 「仮」という字は簿記では「とりあえず」という意味で使います。
- 当期の利益は決算してみるまでわからないので、中間納付時には『仮払法人税等』として処理します（前払とはしません）。
- **法人税等**とは、法人税、住民税、事業税といった利益に比例的に発生するメインとなる税金をいいます。なお、メインではない税金は『租税公課』勘定を用いて処理します。

Check!

中間納付制度

上半期（4/1～9/30）の利益に対する、法人税等の見込額を、上半期の決算日（9/30）の２か月以内に納税するシステムを中間納付制度といいます。

問題 54　法人税等（決算時）

／　／　／

　決算にあたり、当期の法人税￥50,000、住民税￥10,000、事業税￥14,000 を見積もった。なお、中間申告の際に、￥31,000 を現金で納付している。

借方科目	金額	貸方科目	金額
法人税、住民税及び事業税	74,000	仮払法人税等	31,000
		未払法人税等	43,000

法人税、住民税及び事業税：￥50,000 ＋￥10,000 ＋￥14,000 ＝￥74,000
未払法人税等：￥74,000 －￥31,000 ＝￥43,000

ポイント

- 決算にあたり、『法人税、住民税及び事業税』の金額から、中間納付時に計上した『仮払法人税等』の金額を差し引いた残額を『未払法人税等』で処理します。
- 『法人税、住民税及び事業税』は、『法人税等』とすることもあります。
- 未払法人税等は、決算後２か月以内に納付することがルールとなっています。納付時の仕訳は次のとおりです。
  (借)未払法人税等　43,000　(貸)現　金　等　43,000

問題 55 法人税等① 中間納付時

以下の納付書にもとづき、当社の普通預金口座から法人税等を振り込んだ。

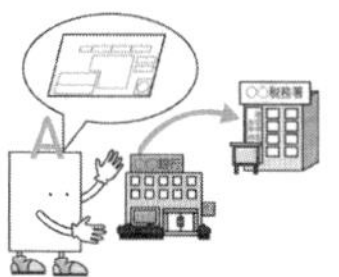

領 収 証 書

科目	法人税

本 税	¥400,000	納期等の区分 X30401 X40331
○○○税		（中間申告）確定申告
△△税		
□□税		
××税		
合計額	¥400,000	

住所	東京都千代田区○○
氏名	株式会社ＮＳ商事

出納印 X3.11.9 東京銀行

借方科目	金額	貸方科目	金額
仮払法人税等	400,000	普通預金	400,000

ポイント

・「納期等の区分」をみて、「**中間申告**」なのか「**確定申告**」なのかを確認しておきましょう。

・「中間申告」の場合、納付額を『仮払法人税等』で処理します。

Check! 仮払法人税等って、いくら払うの？

「上半期分の利益に相当する税金」と言われても、多くの中小企業では、年に１回しか決算を行わないので「上半期分の利益」がわかりません。

そこで通常は、前期に納めた法人税等の金額の半額を、中間納付することが認められており、その額を納付しているのです。

問題 56 法人税等② 納付時

以下の納付書にもとづき、当社の普通預金口座から法人税等を振り込んだ。

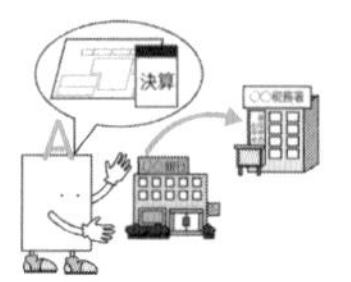

領 収 証 書

科目	法人税

本　税	¥450,000
○○○税	
△△税	
□□税	
××税	
合計額	¥450,000

納期等の区分 X30401 X40331

中間申告　（確定申告）

住所	東京都千代田区○○
氏名	株式会社ＮＳ商事

出納印 X4.5.30 東京銀行

借方科目	金額	貸方科目	金額
未払法人税等	450,000	普通預金	450,000

ポイント

・「納期等の区分」をみて、「**中間申告**」なのか「**確定申告**」なのかを確認しておきましょう。

・「確定申告」の場合、決算時に計上した『未払法人税等』を取り崩します。

決算時の処理

(借)法人税等	××	(貸)仮払法人税等	××
		未払法人税等	450,000

3. 消費税の処理(税抜方式)

① 買った ② 売った ③ 決算

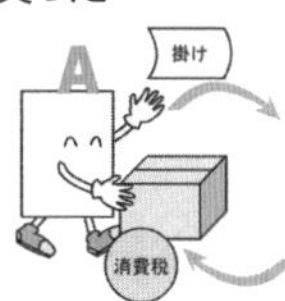

① 商品¥70,000を仕入れ、代金は掛けとした(消費税¥7,000)。

(借)	仕入	70,000	(貸) 買掛金	77,000
	仮払消費税	7,000		

② 商品¥100,000を売り上げ、代金は掛けとした(消費税¥10,000)。

(借)	売掛金	110,000	(貸) 売上	100,000
			仮受消費税	10,000

③ 決算にあたり、消費税の納付額を確定した。なお、仮払消費税は¥7,000、仮受消費税は¥10,000であった。

(借)	仮受消費税	10,000	(貸) 仮払消費税	7,000
			未払消費税*1	3,000

＊1　差額¥3,000(＝¥10,000－¥7,000)を『未払消費税』で処理します。

④ 消費税¥3,000を現金で納付した。

(借)	未払消費税	3,000	(貸) 現金	3,000

問題 57 消費税の処理（仕入時）

／ ／ ／

商品（本体価格￥70,000）を仕入れ、代金は10%の消費税を含めて掛けとした。なお、消費税については税抜方式で記帳する。

借方科目	金額	貸方科目	金額
仕入	70,000	買掛金	77,000
仮払消費税	7,000		

仮払消費税：￥70,000×10%＝￥7,000

買掛金：￥70,000＋￥7,000＝￥77,000（消費税分も含めて支払う）

ポイント

- 税抜方式の場合、『仕入』に消費税の額は含めません。消費税の額は、『仮払消費税』として処理します。
- 消費税を最終的に、当期いくら支払うかは決算までわかりません。したがって「仮」のとりあえずとして処理します。
- 以下のような納品書で出題される可能性もあります。注意しておきましょう。

納品書

株式会社ＮＳ商事　御中

チャイナ食品株式会社

品　物	数量	単価	金額
調味料セット	20	900	￥ 18,000
乳製品セット	10	2,000	￥ 20,000
牛肉セット	4	8,000	￥ 32,000
	消費税		￥ 7,000
	合計		￥77,000

問題58 消費税の処理（売上時）

／ ／ ／

商品（本体価格￥100,000）を売り上げ、代金は10%の消費税を含めて掛けとした。なお、消費税については税抜方式で記帳する。

借方科目	金　額	貸方科目	金　額
売掛金	110,000	売上	100,000
		仮受消費税	10,000

仮受消費税：￥100,000×10%＝￥10,000
売掛金：￥100,000＋￥10,000＝￥110,000

ポイント

・税抜方式の場合、『売上』に消費税の額は含めません。消費税の額は、『仮受消費税』として処理します。
・仮にこの売上の代金を￥50,000の商品券で受け取り、残額を掛けとした場合には、次の仕訳となります。

(借)受取商品券　50,000　(貸)売　　　上　100,000
　　売　掛　金　60,000　　　仮受消費税　10,000

Check! 「掛け」は消費税込

税抜方式では、収益や費用は税抜で計上されますが、売掛金や買掛金といった債権や債務は、消費税分も同じ相手との精算になるので掛代金に含めて処理します。

問題 59 消費税の処理（決算時）

決算にあたり、商品売買取引に係る消費税の納付額を計算し、これを確定した。

なお、消費税の仮払分は￥7,000、仮受分は￥10,000であり、消費税の記帳方法として税抜方式を採用している。

借方科目	金　額	貸方科目	金　額
仮受消費税	10,000	仮払消費税	7,000
		未払消費税	3,000

未払消費税：￥10,000－￥7,000＝￥3,000

ポイント

- 「仮払消費税（￥7,000）＜仮受消費税（￥10,000）」なので、差額を『未払消費税』として処理します。
- 後日、未払消費税の額を納付します。
  (借)未払消費税　3,000　(貸)現金等　3,000
- なお、「仮払消費税＞仮受消費税」の場合は、差額を『未収還付消費税』として処理し、後日受け取ります。

Check! 誰が損した？

消費税の処理を、よく見てください。

会社は、仮受消費税で￥10,000預かって、仮払消費税で￥7,000支払っていて、差額の￥3,000を納付しています。

つまり“会社は負担していない”のです。

消費税がＵＰすることになると、経団連などの会社の団体が大賛成するのも、こういうカラクリがあるからなのです。

問題 60　消費税の処理（納付時）

／　／　／

以下の納付書にもとづき、当社の普通預金口座から消費税を振り込んだ。

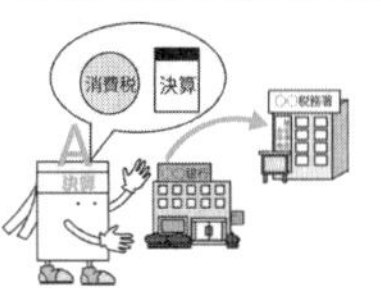

領　収　証　書

科目				
消費税及び地方消費税	本　　税	¥3,000	納期等の区分	X30401 X40331
	○○○税		中間申告	確定申告（○）
	△　△　税			
住所 東京都千代田区○○	□□税			
	××税		出納印 X4.5.30 東京銀行	
氏名 株式会社ＮＳ商事	合計額	¥3,000		

借方科目	金　額	貸方科目	金　額
未払消費税	3,000	普通預金	3,000

ポイント

・「納期等の区分」をみて、「**中間申告**」なのか「**確定申告**」なのかを確認しておきましょう。

・「中間申告」の場合、『仮払消費税』を計上します。

中間納付時の処理

(借)仮払消費税　××　**(貸)現金など**　××

Check! 払い過ぎたら戻ってくる

仮払消費税の金額が仮受消費税の金額を超えた場合は、のちに還付（返金）を受けられるので、借方に出る差額は『未収還付消費税』となります。

ただ、未収還付消費税勘定は、3級の勘定科目表に入っていないので、2級からの出題になると思われます。

4. 給料の支払い

① 給料払った　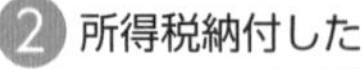　③ 社会保険料払った

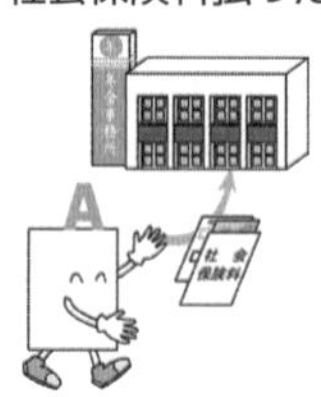

〈 源泉徴収 〉

所得税や社会保険料は本来、受け取った給料から、従業員本人が納付すべきものです。しかし、取りっぱぐれの防止や納税業務の簡素化などを理由に、雇用者（会社）が、給料の支払時にあらかじめ所得税や社会保険料を差し引いて支払い、それを納付する制度を源泉徴収制度といいます。

なお、所得税は全額従業員個人の負担となりますが、社会保険料は、従業員と会社が折半して（半分ずつ）負担することがルールとなっています。

① 給料￥70,000の支払いにさいして、所得税￥2,800、社会保険料￥4,000を差し引いた残額￥63,200を現金で支払った。

(借)		(貸)	
給　料	70,000*1	所得税預り金	2,800
		社会保険料預り金	4,000
		現　金	63,200

＊1　給料（費用）は総額で処理します。

② 所得税預り金￥2,800を現金で支払った。

(借)		(貸)	
所得税預り金	2,800	現　金	2,800

従業員が5人以下の小規模な会社では、事務負担軽減のため、6か月分をまとめて納付できる特例があります。

③
社会保険料￥8,000を現金で支払った。なお、従業員から￥4,000の社会保険料を預かっている。

(借)社会保険料預り金	4,000	(貸)現	金	8,000
法定福利費*2	4,000			

＊2 従業員から預かった社会保険料と同額を、会社が負担します。
このときの勘定科目は法定福利費となります。なお、「福利」とは「幸福と利益」のことで、法定福利費とは「従業員の幸福と利益のために会社が負担することを法律で定められた費用」ということになります。

参考 〈実務上よく行われる処理〉

『社会保険料預り金』に代えて給料の支払時から『法定福利費』を用いる処理が、実務上行われることがあります。

上記の仕訳で見てみましょう（法定福利費分のみ）

給料の支払い

（借）給　　料	4,000	（貸）法定福利費	4,000

社会保険料の支払い

（借）法定福利費	8,000	（貸）現　　金	8,000

確かに、支払いまで済ませれば、この処理でも社会保険料預り金勘定を用いた場合と同じ結果になります。

しかし、預り金勘定になっていないことから、経理担当者が支払いを忘れる可能性があり、忘れてしまうと、（預り金という負債を計上していないことから）従業員から預かった社会保険料を会社が着服したかのような疑いを持たれかねないリスキーな処理でもあります。あまり良い処理ではありません。

問題 61 給料の支払い

／ ／ ／

従業員への給料の支払いにあたり、給料総額￥70,000のうち、本人負担の社会保険料￥4,000と、所得税の源泉徴収分￥2,800を差し引き、残額を現金で支払った。

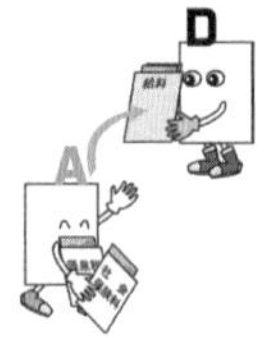

借方科目	金額	貸方科目	金額
給料	70,000	社会保険料預り金	4,000
		所得税預り金	2,800
		現金	63,200

現金：￥70,000－￥4,000－￥2,800＝￥63,200

ポイント

・従業員負担の社会保険料と源泉徴収所得税を預かり、従業員に代わって納付することになります。

・従業員への立替金『従業員立替金』がある場合も、給料から差し引くことになります。

Check!

誰から給料をもらっているのか？

給料は「社長からもらっている」とか「会社からもらっている」と思っている人もいるようですが、それは間違っています。

給料は、お客さんからいただいているものです。ですから、従業員はまず、「お客さんを喜ばせる」という意識が重要です。その喜びから6割くらいを売上げとしていただき、それが分配されて自分の給料になる。

給料を上げたければ、お客さんを喜ばせればいい。これくらいの意識がいいと思っています。

問題 62 源泉所得税預り金の支払い

／ ／ ／

所轄税務署より納期の特例承認を受けている源泉徴収所得税の納付として１月から６月までの合計税額￥2,800を、納付書とともに銀行において現金で納付した。

借方科目	金　額	貸方科目	金　額
所得税預り金	2,800	現　　金	2,800

ポイント

・所得税は、給与などを実際に支払った月の翌月10日までに納付します。ただし、納期の特例承認を受けている場合、半年分をまとめて納付することができます。

問題 63 社会保険料預り金の支払い

給料の支払時に差し引いていた社会保険料￥4,000と同額の会社負担分を計上するとともに、それを銀行において現金で納付した。

借方科目	金　額	貸方科目	金　額
社会保険料預り金	4,000	現　　金	8,000
法定福利費	4,000		

現金：￥4,000＋￥4,000＝￥8,000

ポイント

・会社負担分は、『法定福利費』として処理します。

問題 64　入出金明細からの仕訳

取引銀行のインターネットバンキングサービスから普通預金口座のＷＥＢ通帳（入出金明細）を参照した。３月 20 日において必要な仕訳を答えなさい。

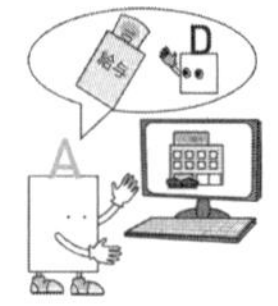

入出金明細

日付	内容	出金金額	入金金額	取引残高
3.20	給与振込	892,000		省略
3.20	振込手数料	1,000		

3月20日の給与振込額は、所得税の源泉徴収額¥70,000を差し引いた額である。

借方科目	金額	貸方科目	金額
給料	962,000	普通預金	893,000
支払手数料	1,000	所得税預り金	70,000

ポイント

- 入出金明細に記載された金額は、あくまで、所得税預り金を差し引いた支給額であることに注意しましょう。
- 所得税の源泉徴収額は、『所得税預り金』として処理します。

Check! 預り金を細分する理由

個人の間で預かっていたお金を戻し忘れても、相手が請求してきて支払うだけで、特に何の問題も起こりません。

しかし、従業員から「所得税分」として預かったお金を、会社が納付し忘れたら、従業員は納税義務違反が疑われ、会社にとっても信用に関わる大問題です(従業員はそんな会社を信用しなくなるでしょう)。

そこで、そんなことが起こらないように「所得税預り金」という別の勘定科目を立てて処理しているのです。

ビジネスで役立つ仕訳の考え方

昔、教室で講師をしていた頃、受講生の方から「この勉強をしてなにになるのですか？」と質問されて、まさか「私の生活のため(笑)」などと答えるわけにもいかず、困ってしまったことがありました。

しかし、こうして会社を経営して10数年、いまならはっきりと簿記を学ぶことの意味がわかります。

その意味の大きなものに、『仕訳の考え方』があります。

仕訳を行うにあたり、みなさんは『1つの取引を2つの面で捉える』という思考方法を学んだことでしょう。この思考方法がビジネスで役立つのです。

というのは、ビジネスでもいろいろな場面と目的があり、さまざまな行動をとります。

これらの行動をとったさいに、少なくとも良いことと悪いことの2面、行動によっては3面目、4面目の影響を及ぼすものもあります。

簿記を学ぶことで、少なくとも2面で物事が見られるようになります。2面で見られる人は3面目、4面目も見られる可能性があり、このものの見方が多角的でかつ深い人がビジネスでは有能な人になるのです。

簿記で学んだ､この仕訳の考え方､みなさんの人生で役に立つものです。しっかりと身につけ、使っていきましょう。

5. 現金過不足

① 合わない

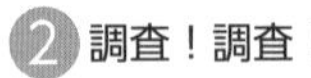

③ ダメだ〜

①
金庫を調べたところ、現金￥4,200 が不足していた。

(借)	現金過不足[*2]	4,200	(貸) 現　　金[*1]	4,200

＊1 帳簿残高を実際有高に合わせます(実際有高＝事実だからです)。
＊2 現金の帳簿残高と実際有高が不一致となったときに一時的に用いる勘定科目です(財務諸表に記載されることはありません)。

②
調査したところ、旅費交通費の計上もれ￥1,360 が判明した。

(借)	旅費交通費	1,360	(貸) 現金過不足	1,360

③
決算にさいし、さらに調査したところ、通信費￥3,600、受取手数料￥1,200 の記帳もれが判明し、残額￥440 を雑損とした。

(借)	通　信　費	3,600	(貸) 現金過不足	2,840
	雑　　損[*3]	440	受取手数料	1,200

＊3 雑損失勘定と同じ。
仮に、過剰であった場合は、雑益(＝雑収入)となります。

金庫を調べたときに現金が過剰であったら

現金が過剰であった場合の仕訳(過剰だという事実に合わせて処理します)

借方科目	金　額	貸方科目	金　額
現　　金	4,200	現金過不足	4,200

問題65 現金過不足（発生時）

／ ／ ／

月末に現金の実査を行ったところ、現金の実際有高が帳簿残高より¥4,200不足であることが判明したため、帳簿残高と実際有高とを一致させる処理を行うとともに、引き続き原因を調査することとした。なお、当社では、現金過不足の雑益または雑損勘定への振り替えは決算時に行うこととしている。

借方科目	金額	貸方科目	金額
現金過不足	4,200	現金	4,200

ポイント

・「現金過不足の雑益または雑損勘定への振り替えは決算時に行う」とあるので、ここでは現金過不足の計上までの処理が要求されているとわかります。

・実際有高＜帳簿残高の状態です。現金の**実際有高**に合わせ、¥4,200の減額をする処理を行います。

Check! 現金って何？

簿記上、現金とは「支払ったときに相手が納得してくれるもの」をいいます。

ですから通貨はもとより、小切手などのように「金融機関に持ち込めばすぐに現金化してくれるもの」も相手が納得してくれるので簿記上は現金となります。

問題 66 現金過不足（判明時）

現金の実際有高が帳簿残高より不足していたため現金過不足勘定で処理していたが、本日、旅費交通費￥1,360 が記入漏れとなっていたことが判明した。

借方科目	金　額	貸方科目	金　額
旅費交通費	1,360	現金過不足	1,360

ポイント

・過去の仕訳

「実際有高が帳簿残高より不足していた」とあるので。

(借)現金過不足　×××　(貸)現　金　×××

Check! 雑損と雑費は違う！

これまで見てきたように、雑損は内容がわからない支出となります。これに対して、雑費は内容が分かっていても、それを省略する場合に用いる科目です。

例えば、会社にある台所の洗剤代などのように、わざわざ洗剤代などと仕訳することに意味はないので、これらをまとめて雑費とするのです。

問題 67 現金過不足（決算時） ／ ／ ／

決算日において、現金過不足（不足額）￥2,840の原因をあらためて調査した結果、通信費￥3,600の支払い、および手数料の受取額￥1,200の記入もれが判明した。残りの金額は原因が不明であったので、適切な処理を行う。

借方科目	金額	貸方科目	金額
通信費	3,600	現金過不足	2,840
雑損	440	受取手数料	1,200

雑損：貸借差額

ポイント

- 過去の仕訳
  「現金過不足(不足額) ￥2,840」とあるので。
  (借)現金過不足　2,840　(貸)現　金　2,840
- 判明したものをとにかく処理し、貸借差額を『雑損』、または『雑益』とします。
- 雑益勘定は、雑収入勘定を用いることもあります。また、雑損勘定は、雑損失勘定を用いることもあります。

Check!

雑損と雑益、どちらが嬉しい？

みなさんは、雑損と雑益の計上はどちらが嬉しいと思いますか？「それはお金が増えるんだから雑益だろう。」とお思いではないでしょうか。

でも考えてみてください。当社が雑益を計上するということは誰かから間違ったお金をもらってしまったかも知れないことを意味しています。

すると「金を盗られた」などという悪い評判が立つことも考えられます。このように考えると雑益の計上というのは、案外怖いことなのです。

以下の取引の内容を言ってみましょう。

仮払金・仮受金編

問題49

仮払金	6,000	現金	6,000

問題50

旅費交通費	6,800	仮払金	6,000
		現金	800

問題51

当座預金	19,600	仮受金	19,600

問題52

仮受金	19,600	前受金	6,000
		売掛金	13,600

法人税等の処理編

問題53

仮払法人税等	31,000	現金	31,000

問題54

法人税、住民税及び事業税	74,000	仮払法人税等	31,000
		未払法人税等	43,000

問題55

仮払法人税等	400,000	普通預金	400,000

問題56

未払法人税等	450,000	普通預金	450,000

消費税の処理(税抜方式)編

問題57

仕入	70,000	買掛金	77,000
仮払消費税	7,000		

問題58

売掛金	110,000	売上	100,000
		仮受消費税	10,000

問題59

仮受消費税	10,000	仮払消費税	7,000
		未払消費税	3,000

問題60

未払消費税	3,000	普通預金	3,000

給料の支払い編

問題61

給料	70,000	社会保険料預り金	4,000
		所得税預り金	2,800
		現金	63,200

問題62

所得税預り金	2,800	現金	2,800

問題63

社会保険料預り金	4,000	現金	8,000
法定福利費	4,000		

問題64

給料	962,000	普通預金	893,000
支払手数料	1,000	所得税預り金	70,000

現金過不足編

問題65

現金過不足	4,200	現金	4,200

問題66

旅費交通費	1,360	現金過不足	1,360

問題67

通信費	3,600	現金過不足	2,840
雑損	440	受取手数料	1,200

第5部

決算関連

1. 会社の設立と利益処分

① 会社を創った　② 事務所を開設した　③ 儲かった

①
会社設立にあたり、株式10株を1株あたり¥60,000で発行し、現金を受け取った。なお、発行価額の全額を資本金とする。

(借)	現　　　金	600,000	(貸) 資　本　金	600,000[*1]

＊1　受け取った金額が資本金となります。
¥60,000 × 10株 = ¥600,000

②
事務所開設にあたり、不動産会社への仲介手数料¥6,000、敷金¥24,000、家賃¥12,000を現金で支払った。

(借)	支払手数料	6,000	(貸) 現　　　金	42,000
	差入保証金[*2]	24,000		
	支払家賃	12,000		

＊2　敷金は『差入保証金』勘定で処理します。

③
当期の純利益¥100,000を損益勘定から繰越利益剰余金勘定に振り替えた。

(借)	損　　　益[*3]	100,000	(貸) 繰越利益剰余金[*4]	100,000

＊3　当期の収益と当期の費用は損益勘定に集めて、その残高が当期純利益となります。
＊4　当期純利益は、『繰越利益剰余金』勘定という資本の勘定に振り替えられ、次期へと繰り越されます。

④ 株主総会を開いた 

⑥ 新たに株式を発行した

④
株主総会で利益剰余金￥100,000の一部を次のとおり処分することが承認された。
株主配当金：￥60,000
利益準備金の積立て：6,000

(借)	繰越利益剰余金	66,000[*5]	(貸) 未払配当金[*6]	60,000
			利益準備金[*7]	6,000

＊5　処分した金額だけ、繰越利益剰余金を減少させます。
＊6　株主総会で承認の決議を行い、後日支払うので『未払配当金』勘定を用います。
＊7　『利益準備金』とは、配当してはいけない利益を示す勘定です。￥60,000配当した結果、￥6,000は配当してはいけない額となりました。

⑤
株主配当金￥60,000を現金で支払った。

(借)	未払配当金	60,000	(貸) 現　　金	60,000

⑥
増資にあたり、株式5株を1株あたり￥100,000で発行し、現金を受け取った。なお、発行価額の全額を資本金とする。

(借)	現　　金	500,000	(貸) 資　本　金	500,000[*8]

＊8　会社の設立のときと同じです。
￥100,000 × 5株 = ￥500,000

問題 68　株式の発行（会社の設立）

／　／　／

NS 商事株式会社の会社設立にあたり、株式 10 株を 1 株あたり￥50,000 で発行し、出資者からの払込みを受け、同額を普通預金口座に預け入れた。なお、発行価額の全額を資本金として処理する。

借方科目	金　額	貸方科目	金　額
普通預金	500,000	資本金	500,000

資本金：￥50,000×10株＝￥500,000

ポイント

・「会社設立にあたり」とありますが、設立後の株式の追加発行(増資)のときも処理は同じです。

・資本金の額￥500,000は、会社の定款(会社のルールブックのようなもの)に記載されるので、「利益が出たから」といった理由で、勝手に変更することはできません。

・出資者は株式の発行を受けて、株主となり、株主としての配当を受ける権利や株主総会に参加する権利などを持つようになります。

Check!　誰が出資してくれるねん！

お金というものは命の次に大事なもの。

そんなお金を気前よくポンと出資してくれる人はまずいません。

そこで、多くの場合、出資者は自分 1 人という状態で会社を設立することになります。

しかし現代には、クラウドファンディングという方法があります。自分の理念やビジネスモデルを、ネットを使って訴えることで知らない人からの出資を受けられる可能性があるのです。人生をかけて実現したい夢がある方は視野に入れてもいいのではないでしょうか。

問題69 保証金の支払い

／ ／ ／

事務所の賃借契約を行い、下記の振込依頼書通りに当社普通預金口座から振り込み、賃借を開始した。仲介手数料は費用として処理すること。

振込依頼書

株式会社ＮＳ商事　御中

株式会社山野不動産

ご契約ありがとうございます。以下の金額を下記口座へお振込ください。

品　物	金額
仲介手数料	￥ 6,000
敷金	￥24,000
初月賃料	￥12,000
合計	￥42,000

東京銀行千代田支店　当座　1628951　カ）ヤマノフドウサン

借方科目	金額	貸方科目	金額
支払手数料	6,000	普通預金	42,000
差入保証金	24,000		
支払家賃	12,000		

ポイント

・不動産会社に対する仲介手数料は、『支払手数料』として処理します。

・敷金は、事務所のオーナーに賃借期間の間、預けておくお金のことをいいます。敷金は、賃借期間が終了すると戻ってくるため、『差入保証金』という資産で処理します。

Check!

「保証」とは

「保証」とは、「大丈夫だと請け負うこと」です。

この場合、大家さんに対して、「出て行くときは元に戻すから大丈夫です」と請け負っているのです。

証しに、一定の金額を大家さんに預け（差入れ）ておくのが敷金です。

問題70 純利益の繰越利益剰余金への振替

　決算にさいし、損益勘定を作成し、その記録によると、当期の収益総額は￥400,000で費用総額は￥300,000であった。この差額である当期の純利益を繰越利益剰余金勘定へ振り替える。

借方科目	金　額	貸方科目	金　額
損　　益	100,000	繰越利益剰余金	100,000

純利益：￥400,000－￥300,000＝￥100,000

ポイント

・収益総額－費用総額＝当期純利益(または当期純損失)

・収益の勘定と費用の勘定を損益勘定に振り替え、**損益勘定の貸借差額**で当期純利益(または当期純損失)を算定します。

・損益勘定の残高は、繰越利益剰余金勘定(資本の勘定)に振り替えます。

　当期純利益となった場合、『繰越利益剰余金』の**増加(貸方)**

　当期純損失となった場合、『繰越利益剰余金』の**減少(借方)**

・なお、株式会社では資本金の額は、定款に記載されているので、利益の計上によって、直接に増減させることはできません。

Check! 繰越利益剰余金の意味

　「繰越」は「繰越商品」と同様に期をまたぐことを意味します。「剰余金」は「資本金以外の資本」を意味し、その中でも、源泉が利益(会社が稼いだもの)であることから、「利益剰余金」といいます。

　つまり、繰越利益剰余金は「次期に繰り越す会社が稼いだ利益」であり、当期純利益は、この勘定に振り替えられます。

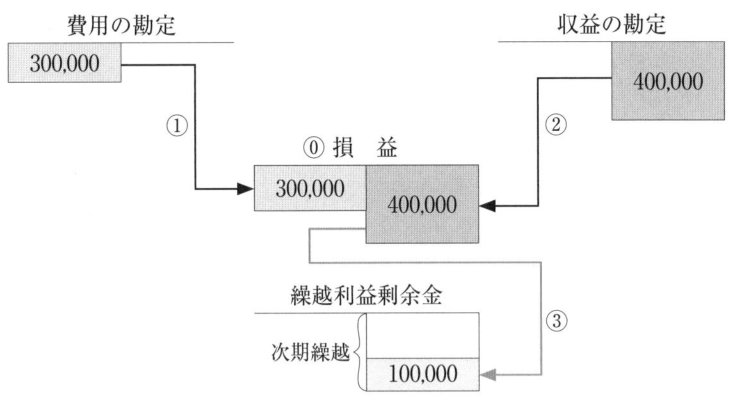

⓪ 決算にさいし、新たに損益勘定を設けます。

① 費用の勘定から損益勘定への振替え

(借) 損　益	300,000	(貸) 費用の勘定	300,000

費用の勘定を締切り、残高を損益勘定の借方に振替えます。

② 収益の勘定から損益勘定への振替え

(借) 収益の勘定	400,000	(貸) 損　益	400,000

収益の勘定を締切り、残高を損益勘定の貸方に振替えます。

→ この時点で損益勘定の残高（貸借差額）は当期純利益を表します。

③ 損益勘定から繰越利益剰余金勘定への振替え

(借) 損　益	100,000	(貸) 繰越利益剰余金	100,000

損益勘定を締切り、残高（当期純利益）を繰越利益剰余金勘定に振替えます。繰越利益剰余金は資本の勘定ですから「次期繰越」として締切ります。

＊ 便宜上、費用の勘定（または収益の勘定）をまとめて記入しています。実際には、それぞれの費用の勘定（または収益の勘定）から損益勘定に振り替えます。この処理も仕訳問題での出題実績がありますので、注意しておきましょう。

問題71　株主総会での利益処分

／　／　／

6月25日、株主総会で、繰越利益剰余金¥100,000の一部を次のとおり処分することが承認された。
株主配当金：¥70,000
利益準備金の積立て：¥7,000

借方科目	金額	貸方科目	金額
繰越利益剰余金	77,000	未払配当金	70,000
		利益準備金	7,000

ポイント

・繰越利益剰余金の全額を取崩すのではないことに注意しましょう。
・繰越利益剰余金の全額を処分するとは限りません。処分額だけ減少させます。なお、「処分」というと「不要なものを捨てる」というイメージになりますが、ここでは「取り扱いを決めること」という意味で使っています。
・花咲か爺さんのように、株主総会で現金をバラ撒くことはないので、未払配当金に計上しておき、後日支払います。
(借)未払配当金　70,000　(貸)現　金　等　70,000
・「準備金」は「赤字に備えるお金」のイメージです。「株主に配当するなら、その10%を赤字に備えて資本に残しておきなさいよ」ということで計上が義務づけられています。

Check!　株主総会は、いつ、誰が開く

株主総会は、決算後３か月以内に取締役の招集により開催されます。
このとき、議案は取締役会で用意されているので、通常は株主総会では承認を得るだけとなります。

2. 固定資産

① 買った

② 使った

① 期首に備品￥66,000を購入し、代金は月末に支払うこととした。なお、付随費用￥6,000は現金で支払った。

(借)	備　　品	72,000[*1]	(貸)	未　払　金	66,000
				現　　　金	6,000

＊1 付随費用は取得原価に含めます。
例えば、土地を購入したときの整地費用や登記費用なども付随費用となります。

② 決算となり、上記備品（耐用年数6年、残存価額0）の減価償却を定額法により行い、減価償却費￥12,000を計上する（間接法で記帳）。

(借)	減価償却費[*3]	12,000[*2]	(貸)	備品減価償却累計額	12,000

＊2 減価償却費（定額法）＝（取得原価－残存価額）÷耐用年数
＝（￥72,000－￥0）÷6年＝￥12,000

＊3 減価償却費は月割りで計算します。したがって、正確な計算は次のとおりです。

$$\frac{￥72,000 - ￥0}{72\text{か月}(6\text{年})} \times \underbrace{12\text{か月}(1\text{年})}_{\text{使用月数}} = ￥12,000$$

③ なおした　④ 売った　⑤ 回収した

③ 備品の修理費用として、¥4,000を現金で支払った。

(借)修　繕　費　4,000　(貸)現　　金　4,000

④ 期中に備品（取得原価¥72,000、減価償却累計額¥48,000）を¥16,000で売却し、代金は月末に受け取ることにした。
なお、当期の使用に関する減価償却費は¥3,000であった。

(借)備品減価償却累計額48,000　(貸)備　　品　72,000
減　価　償　却　費　3,000
未　収　入　金16,000
固定資産売却損　5,000 *4

＊4　売却時点の帳簿価額¥21,000（＝¥72,000－¥48,000－¥3,000）と売却価額¥16,000との差額が売却損益となります。

⑤ 売却代金¥16,000が普通預金口座に振り込まれた。

(借)普通預金　16,000　(貸)未収入金　16,000

問題72 固定資産（土地）の購入

出店用の土地165㎡を1㎡あたり¥40で購入し、購入手数料¥200を含む代金の全額を後日支払うこととした。また、この土地の整地費用¥100を現金で支払った。

借方科目	金額	貸方科目	金額
土地	6,900	未払金	6,800
		現金	100

未払金：@¥40×165㎡＋¥200＝¥6,800
土　地：¥6,800＋¥100＝¥6,900

ポイント

- 商品以外の売買に関する未払いなので、『未払金』として処理します。
- 購入手数料と整地費用は、土地の取得に必要なもの（付随費用）なので、『土地』に含めて処理します。
- 仮に不動産業を営んでいて、商品として土地を取得した場合には次の仕訳となります。

(借) 仕入	6,900	(貸) 買掛金	6,800
		現金	100

Check! 時間とお金、そして自由

学費を稼がないといけなかった大学時代「いかに効率よく、自分の時間をお金に換えるか」を考えながら、アルバイトを重ねる不自由な生活をしていました。しかし、「いくらアルバイトをしても、今は良くても未来は良くならない」ことに気づくには時間はかかりませんでした。

そこで、「資格を得れば、未来も良くできる」と考え、税理士資格を手に入れるところまで行きました。結局、得たものは「税理士資格を使わない自由」でした。

問題 73　固定資産（土地）の売却

／ ／ ／

以前に購入していた土地（帳簿価額￥6,900）を￥7,100 で売却し、代金は後日受け取ることにした。

借方科目	金額	貸方科目	金額
未収入金	7,100	土地	6,900
		固定資産売却益	200

固定資産売却益：￥7,100－￥6,900＝￥200（益）

ポイント

- 過去の仕訳

  (借) 土　地　6,900　(貸) 現金等　6,900

- 商品以外の売買に関する未収なので、『未収入金』として処理します。
- 帳簿価額を超えて売却した場合、差額を『固定資産売却益』として処理します。
- 帳簿価額未満で売却した場合、差額を『固定資産売却損』として処理します。
- 『固定資産売却益』、『固定資産売却損』は、具体的な科目を示し、それぞれ『土地売却益』、『土地売却損』とすることもあります。
- 不動産業を営んでいた場合の仕訳

  (借) 売掛金　7,100　(貸) 売　上　7,100

年齢×￥2,000の自由

若い頃、「年齢×￥2,000の自由に使えるお金を持っていると心に余裕が持てる」という話を聞き、納得したので、親戚が成人すると、現金￥40,000をプレゼントすることにしています。

みなさんも意識して、手許に置いてみることをお勧めします。

問題74　固定資産等の購入

×3年4月4日、新入社員向け事務処理用パソコン5台（@¥13,200）と事務用文房具¥10,000を購入し、代金は月末に支払うこととした。また、パソコンのセッティング費用¥6,000については現金で支払った。なお、当社では文房具については支払額の全額を、当期の費用として処理する方法をとっている。

借方科目	金額	貸方科目	金額
備品	72,000	未払金	76,000
消耗品費	10,000	現金	6,000

未払金：@¥13,200×5台＋¥10,000＝¥76,000
備　品：@¥13,200×5台＋¥6,000＝¥72,000

ポイント

・商品以外の売買に関する未払いなので、『未払金』として処理します。
・セッティング費用は、パソコンを使用するために必要なもの（付随費用）なので、『備品』に含めて処理します。
・文房具については支払額の全額を当期の費用として処理する方法をとっているので、購入時には『消耗品費』で処理し、費用計上します。
・事務用品店にとっては販売目的の商品の売上となるため、売上・売掛金になります。
・固定資産の購入にさいして手数料を支払った場合は、固定資産の原価に加算します。

Check!　備品と消耗品の違い

税法上は10万円未満のものは消耗品費として費用処理してよいこととなっていますが、簿記会計では、基本的に1年以内に使い切るものは『消耗品』、1年を超えて使うものは『備品』とすると理解しておきましょう。

問題75 領収書からの固定資産の購入の仕訳

×3年12月1日に事務所として使用する建物を購入し、次の領収書を受け取った。なお、代金はすでに支払い済みであり、仮払金勘定で処理してある。

領収書

株式会社ＮＳ商事　様

山野不動産株式会社

品　物	数量	単価	金額
事務所建物	1	800,000	¥800,000
手数料	−	−	¥ 40,000
登記料	−	−	¥ 10,000
	合計		¥850,000

上記の合計額を領収いたしました。

借方科目	金　額	貸方科目	金　額
建　物	850,000	仮　払　金	850,000

ポイント

・手数料や登記料は建物を使用するために必要なもの(付随費用)なので、『建物』に含めて処理します。

・支払ったときの処理

(借)仮　払　金　850,000　(貸)現　金　等　850,000

一時的な支払いとして『仮払金』で処理しています。

かっぱらい金

「すまんが、ちょっと払っといてくれ。」と頼まれて「じゃあ仮払いにしとくね。」といって支払った仮払金。

相手が返してくる前にいなくなってしまうことがあります。

このとき、仮払金勘定はかっぱらい金勘定に振り替えられます(笑)。

問題 76 固定資産の減価償却

決算において、×3年4月4日に購入した備品（取得原価¥72,000、残存価額ゼロ、耐用年数6年）と、×3年12月1日に購入した建物（取得原価¥850,000、耐用年数30年、残存価額は取得原価の10%）の減価償却を定額法で行う。なお、決算日は×4年3月31日とする。

借方科目	金　額	貸方科目	金　額
減価償却費	20,500	備品減価償却累計額	12,000
		建物減価償却累計額	8,500

備品減価償却累計額：¥72,000 ÷ 6年 = ¥12,000

建物減価償却累計額：（¥850,000 − ¥85,000）÷30年× $\frac{4か月}{12か月}$ = ¥8,500

ポイント

- 減価償却費は月割り（1か月のうち1日でも使えば1か月としてカウントする）で計算しますので、4月4日に購入していても、4月分の減価償却も行います。従って、備品は1年間使ったことになります。
- 減価償却費を計上する際に、貸方を『○○減価償却累計額』として、固定資産を**間接的に減少**させます。これを間接法といいます。
- 間接法では、帳簿上、固定資産の金額は、取得原価のままとなります。
- 備品減価償却累計額勘定は、備品勘定の**評価勘定**です。
  「評価」とは、簿記上「資産の金額を決めること」。評価勘定とは金額を決める勘定。取得原価¥72,000の備品でも、減価償却累計額（評価勘定）が¥12,000あれば、その帳簿価額は¥60,000と決まります。
- 貸借対照表は右のようになります。

貸借対照表

建　　物	850,000		
減価償却累計額	8,500	841,500	
備　　品	72,000		
減価償却累計額	12,000	60,000	

問題77 固定資産の修繕

建物の改築と修繕を行い、代金￥20,000を普通預金口座から支払った。うち建物の資産価値を高める支出額（資本的支出）は￥16,000であり、建物の現状を維持するための支出額（収益的支出）は￥4,000である。

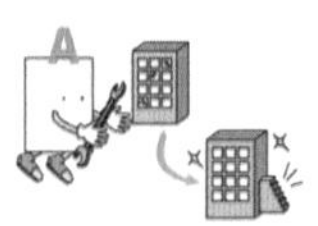

借方科目	金額	貸方科目	金額
建物	16,000	普通預金	20,000
修繕費	4,000		

ポイント

・機能の向上（資産価値を高める）ための支出は、その固定資産の原価に加え、修理（現状を維持する）のための支出は『修繕費』として処理します。なお、前者を**資本的支出**、後者を**収益的支出**ともいいます。

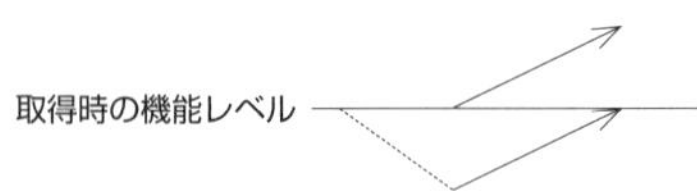

Check!

タイムテーブルの作り方

簿記の問題を解く上で、タイムテーブルの作成が必要になることがあります。作成上、注意すべき点を示しておきます。

① 対象物の全期間で作成する（耐用年数6年なら6年のタイムテーブルを作成する）。←当期部分だけを作ると混乱します。
② 「末」で区切り、引き算はタブー（X3年4月からX7年3月末なら、X4年3月末、X5年3月末、X6年3月末、X7年3月末と計算）←年数で引き算すると、3年（X7年－X4年）と計算してしまう。
③ 年数や月数を数えるときは、必ず、指折り計算を、2回して確かめる。また、タイムテーブルを区切ったときには、区切り目との間の月数を書いておく（私は、○で囲んで月数を書いています）。

問題78　固定資産の売却

×3年4月4日に購入した備品（取得原価¥72,000、残存価額ゼロ、耐用年数6年、定額法で計算、間接法）が不用になったので、本日（×7年6月30日）¥16,000で売却し、代金は翌月末に受け取ることにした。

なお、決算日は3月31日とし、減価償却費は月割りで計算する。

借方科目	金　額	貸方科目	金　額
備品減価償却累計額	48,000	備　品	72,000
減価償却費	3,000		
未収入金	16,000		
固定資産売却損	5,000		

年間の減価償却費：¥72,000÷6年＝¥12,000

備品減価償却累計額：¥12,000×4年＝¥48,000

減価償却費：¥12,000×$\frac{3か月}{12か月}$＝¥3,000

売却時点での帳簿価額：¥72,000－¥48,000－¥3,000＝¥21,000

固定資産売却損：¥16,000－¥21,000＝△¥5,000（損）

ポイント

- 購入時から前期末までに償却された回数：4回
- 当期首から売却時まで3か月

タイムテーブル(前ページのCheck！を参照)

X3 4.4	X4 3末	X5 3末	X6 3末	X7 3末	③	X7 6/30	X8 3末	X9 3末
取得	1回目償却	2回目償却	3回目償却	4回目償却		売却		

- 「売却価額」と「売却時点(当期分の減価償却を考慮した後)の帳簿価額」の差額が売却損(益)となります。

3.貸倒れ

① 売った　② 倒れた！　③ 引き当てた

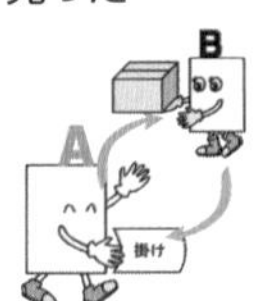

①

当期に商品￥418,000を掛けで売り上げた。

(借)売　掛　金　418,000　(貸)売　　　上 418,000

②

当期に発生した売掛金のうち￥18,000が貸し倒れた。

(借)貸 倒 損 失*1　18,000　(貸)売　掛　金　18,000

＊1 売掛金が当期に発生したということは、当期に売上も計上されています。その売上に対する費用なので、当期の費用として『貸倒損失』で処理します。
なお、このとき、法的に債権を放棄したわけではなく、(資産としての価値がなくなったので)会計上、消去したことを表しています。

③

決算にさいし、売掛金の残高￥400,000に対し２％（￥8,000）の貸倒引当金を設定する。

(借)貸倒引当金繰入*3　8,000　(貸)貸 倒 引 当 金*2　8,000

＊2 当期に発生した売掛金のうち、次期に貸倒れが見込まれる額を設定しておきます。
＊3 同額を当期の売上に対する、当期の費用の１つとして計上しておきます。
＊4 貸借対照表は次のようになります。

貸借対照表

売　掛　金	400,000		
貸倒引当金	8,000	392,000	

④ 倒れた！

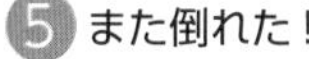

⑤ また倒れた！

⑥ ちょっと戻った

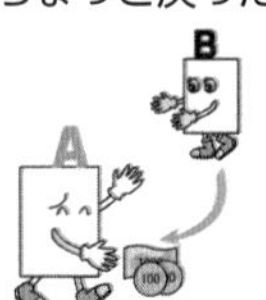

④ 前期に発生した売掛金￥3,000が貸し倒れた。

(借)	貸倒引当金*5	3,000	(貸)売　掛　金	3,000

＊5 貸倒引当金の残高内であれば、貸倒引当金を取り崩すだけなので、当期の損益に影響することはありません。

⑤ 前期に発生した売掛金￥6,000がさらに貸し倒れた。

(借)	貸倒引当金	5,000	(貸)売　掛　金	6,000
	貸倒損失*6	1,000		

＊6 貸倒引当金の残高をオーバーした分は、『貸倒損失』として当期の費用に計上します。

⑥ 前期に貸倒れ処理した売掛金のうち￥14,000が回収され、普通預金口座に振り込まれた。

(借)	普通預金	14,000	(貸)償却債権取立益*7	14,000

＊7 倒産した会社の残余財産の分配などにより、債権の一部が回収されることがあります。
前期に貸倒れの処理をしているので、償却債権取立益(費用化した債権を取り立てて得をした)という科目で処理します。

問題79 貸倒引当金の繰入

売上債権（受取手形、電子記録債権、売掛金）の残高に対して２％の貸倒引当金を差額補充法で設定する。

残高試算表

受取手形	160,000	貸倒引当金	1,000
電子記録債権	90,000		
売掛金	200,000		

借方科目	金額	貸方科目	金額
貸倒引当金繰入	8,000	貸倒引当金	8,000

貸倒見積額：（￥160,000＋￥90,000＋￥200,000）×２％＝￥9,000
貸倒引当金繰入：￥9,000－￥1,000＝￥8,000

ポイント

・「当期末の貸借対照表は右のようになります。

貸借対照表

受取手形	160,000	
電子記録債権	90,000	
売掛金	200,000	
貸倒引当金	△9,000	441,000

・貸倒引当金は、債権の評価勘定です。
・貸倒引当金の金額の前の△をつけるかどうかは、問題文の指示に従ってください。（指示がなければどちらでもよい）
・洗替法で処理した場合の仕訳

(借)貸倒引当金　1,000　(貸)貸倒引当金戻入　1,000

引当金の残高を戻し入れて、いったんゼロにします。

(借)貸倒引当金繰入　9,000　(貸)貸倒引当金　9,000

見積額(引当金として必要な金額)を新たに繰入れます。

貸倒引当金は差額補充法でしか出題されていませんが、他の引当金では洗替法で出題されることもあります。

問題 80 貸倒れ

／ ／ ／

得意先が倒産し、前年度の商品売上にかかわる売掛金¥6,000が回収できなくなったので、貸倒れの処理を行う。なお、貸倒引当金の残高は¥5,000である。

借方科目	金　額	貸方科目	金　額
貸倒引当金	5,000	売　掛　金	6,000
貸倒損失	1,000		

貸倒損失：¥6,000－¥5,000＝¥1,000

ポイント

・「前年度の商品売上にかかわる売掛金が回収できなくなった」とあるので、貸倒引当金を取り崩します。なお、貸倒引当金の残高を超えた分は、『貸倒損失』として処理します。

「当年度の商品売上にかかわる売掛金」なら

仮に、当年度の商品売上にかかわる売掛金なら、全額、当期費用として『貸倒損失』で処理します。

借方科目	金　額	貸方科目	金　額
貸倒損失	6,000	売　掛　金	6,000

問題81　償却債権取立益

前期に貸倒れとして処理していた長野商店に対する売掛金¥18,000のうち、¥14,000が回収され、普通預金の口座に振り込まれた。なお、貸倒引当金勘定には¥6,000の残高がある。

借方科目	金　額	貸方科目	金　額
普　通　預　金	14,000	償却債権取立益	14,000

ポイント

- 「前期に貸倒れとして処理していた売掛金」とあるので、貸倒れとして処理済みの債権を回収したことがわかります。したがって、『償却債権取立益』として処理します。
- 「なお、貸倒引当金勘定には¥6,000の残高がある」はダミーです。

「当期に貸倒れとして処理していた売掛金」なら

仮に、当期に貸倒れとして処理していた売掛金なら、当期に行った貸倒れの処理により、①計上された、または②取り崩されたものを消去します。

当期に、貸倒損失として処理していた場合

(借)普　通　預　金　14,000　(貸)貸　倒　損　失　14,000

当期に、貸倒引当金の取崩しとして処理していた場合

(借)普　通　預　金　14,000　(貸)貸　倒　引　当　金　14,000

4.売上原価

① 仕入れた　② 売上げた　③ 残った

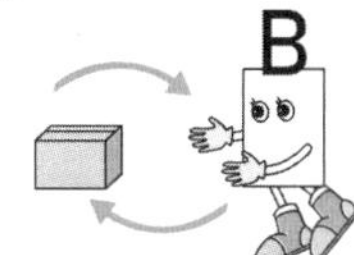

① 当期に商品を 90 個（1 個 1,000 円）仕入れた（現金払い）。

(借)仕　　入[*1]	90,000[*2]	(貸)現　　金	90,000

＊1 期中処理により、仕入勘定の借方には、当期商品仕入高が入っています。
＊2 ¥1,000 × 90 個 = ¥90,000

② 商品 80 個を、1 個 3,000 円で売上げた（現金受取り）。

(借)現　　金	240,000	(貸)売　　上	240,000[*3]

＊3 ¥3,000 × 80 個 = ¥240,000

③ 決算となった。期首に残っていた商品は 10 個（1 個 1,000 円）、期末に残っている商品は 20 個（1 個 1,000 円）であった。なお、売上原価の計算は仕入勘定で行う。

(借)仕　　入[*4]	10,000[*5]	(貸)繰越商品	10,000
繰越商品	20,000	(貸)仕　　入[*6]	20,000[*7]

＊4 仕入勘定の借方に期首商品棚卸高を加えます。
＊5 ¥1,000 × 10 個 = ¥10,000
＊6 仕入勘定の貸方に期末商品棚卸高を記入し、仕入勘定の金額を減らします。
＊7 ¥1,000 × 20 個 = ¥20,000
＊8 この結果、仕入勘定で売上原価が算定されます。
売上原価（¥80,000）= 期首商品棚卸高（¥10,000）+ 当期商品仕入高（¥90,000）− 期末商品棚卸高（¥20,000）
売上原価は費用の１つですから、決算では損益勘定に振り替えられます。

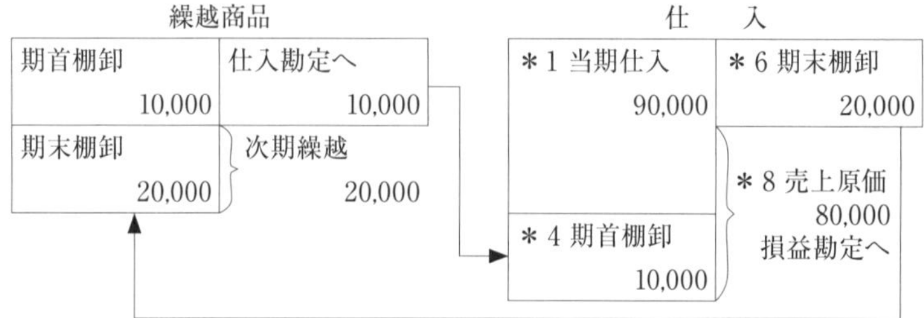

Check!

商品（仕入）は再振替仕訳をしないワケ

期末に切手が100円分残っていれば、貯蔵品勘定に振り替えます。
（借）貯蔵品100（貸）通信費100
そして、翌期の期首には再振替仕訳を行います。
（借）通信費100（貸）貯蔵品100
これは、当期にすぐに使うであろう切手代を通信費勘定に戻しておく手続きです。当期に購入する切手代と区別する必要はないですものね。

では商品はどうでしょう。
期末に商品が100円分残っていれば、繰越商品勘定に振り替えます。
（借）繰越商品100（貸）仕入100
しかし、翌期の期首に再振替仕訳をすることはありません。
さて、なぜでしょうか。

答えは、仕入帳の存在にあります。
商品の仕入れ時に仕入帳に記帳しているとすると、再振替仕訳によって仕入勘定だけが増えてしまうため、仕入帳の金額と仕入勘定の金額が一致しなくなります。
これを避けるために、商品に関しては、再振替仕訳を行わないのです。

問題82 売上原価の算定

決算となり、棚卸を行ったところ、期末商品の金額は20,000円であった。売上原価を算定するための仕訳を示しなさい。

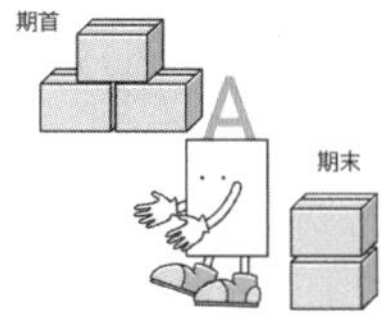

残高試算表

繰越商品	10,000	売上	240,000
仕入	90,000		

借方科目	金額	貸方科目	金額
仕入	10,000	繰越商品	10,000
繰越商品	20,000	仕入	20,000

ポイント

・残高試算表(決算整理前)の『繰越商品』は、期首商品棚卸高を示しています。

・この仕訳は、貸借で相殺してはいけません。
当期商品仕入高に期首商品棚卸高を加えることで、当期の商品販売可能額を示しており、そこから売れ残った期末商品棚卸高を差し引くことに意味があるからです。

・決算整理により、決算整理後の残高試算表の『繰越商品』は、期末商品棚卸高を表し、この金額が次期に繰越されるとともに貸借対照表の『商品』の金額となります。

Check! 試算表の繰越商品が期首商品を表している理由

三分法では、当期に商品を購入すれば『仕入』、販売すれば『売上』を用いて処理するので、『繰越商品』は、期中処理ではまったく変動しません。

したがって、前期から当期に繰り越されたまま1年を過ごしてきているので期首商品棚卸高を表しているのです。

5.仕訳の訂正

❶ 間違えた！　❷ 元に戻した　❸ 正しく処理した

❶ 商品11,000円を掛けで売り上げたが、貸借逆に仕訳してしまった。

(借)売　　　上　11,000 (貸)売　掛　金　11,000

❷ とりあえず、貸借逆の仕訳を行って何も処理していない状態に戻します。

(借)売　掛　金　11,000 (貸)売　　　上　11,000

❸ 正しい処理を行います。

(借)売　掛　金　11,000 (貸)売　　　上　11,000

❹ ❷と❸の仕訳を足した仕訳が訂正仕訳となります。

(借)売　掛　金　22,000 (貸)売　　　上　22,000 *1

*1 ❷　　　(借)売掛金　11,000 (貸)売　上　11,000
　❸　+) (借)売掛金　11,000 (貸)売　上　11,000
　❹　　　(借)売掛金　22,000 (貸)売　上　22,000
　訂正仕訳は、常にこのプロセスで作成することができます。

問題 83 仕訳の訂正

　商品 65,000 円を掛けで売り上げたさいに、金額を誤って 56,000 円と処理し、さらに売掛金勘定を未収入金勘定で処理してしまっていた。
　訂正するための仕訳を示しなさい。

借方科目	金額	貸方科目	金額
売掛金	65,000	未収入金	56,000
		売上	9,000

ポイント

① 商品65,000円を掛けで売り上げたのに、56,000円で処理し、さらに未収入金で処理してしまった。

(借)未収入金 56,000 (貸)売上 56,000

② とりあえず、貸借逆の仕訳を行って何も処理していない状態に戻します。

(借)売上 56,000 (貸)未収入金 56,000

③ 正しい処理を行います。

(借)売掛金 65,000 (貸)売上 65,000

④ ②と③の仕訳を足した仕訳が訂正仕訳となります。

②		(借)売上	56,000	(貸)未収入金	56,000
③	+)	(借)売掛金	65,000	(貸)売上	65,000
④		(借)売掛金	65,000	(貸)未収入金	56,000
				売上	9,000

未収入金：②(貸) 56,000 + ③ 0 = (貸) 56,000
売掛金：② 0 + ③(借) 65,000 = (借) 65,000
売上：②(借) 56,000 + ③(貸) 65,000 = (貸) 9,000

Check!

仕訳の足し算

　このテクニックを「仕訳の足し算」といい、訂正仕訳の作成などに活用できるテクニックなので、マスターしておきましょう。

以下の取引の内容を言ってみましょう。

会社の設立と利益処分編

問題68

普通預金	500,000	資本金	500,000

問題69

支払手数料	6,000	普通預金	42,000
差入保証金	24,000		
支払家賃	12,000		

問題70

損益	100,000	繰越利益剰余金	100,000

問題71

繰越利益剰余金	77,000	未払配当金	70,000
		利益準備金	7,000

固定資産編

問題72

借方科目	金額	貸方科目	金額
土地	6,900	未払金	6,800
		現金	100

問題73

借方科目	金額	貸方科目	金額
未収入金	7,100	土地	6,900
		固定資産売却益	200

問題74

借方科目	金額	貸方科目	金額
備品	72,000	未払金	76,000
消耗品費	10,000	現金	6,000

問題75

借方科目	金額	貸方科目	金額
建物	850,000	仮払金	850,000

問題76

借方科目	金額	貸方科目	金額
減価償却費	20,500	備品減価償却累計額	12,000
		建物減価償却累計額	8,500

問題77

借方科目	金額	貸方科目	金額
建物	16,000	普通預金	20,000
修繕費	4,000		

問題78

借方科目	金額	貸方科目	金額
備品減価償却累計額	48,000	備品	72,000
減価償却費	3,000		
未収入金	16,000		
固定資産売却損	5,000		

貸倒れ編

問題79

貸倒引当金繰入	8,000	貸倒引当金	8,000

問題80

貸倒引当金	5,000	売掛金	6,000
貸倒損失	1,000		

問題81

普通預金	14,000	償却債権取立益	14,000

売上原価編

問題82

仕入	10,000	繰越商品	10,000
繰越商品	20,000	仕入	20,000

仕訳の訂正編

問題83

売掛金	65,000	未収入金	56,000
		売上	9,000

復　習

翌　日

● 通常の商品売買編

問題1　手付金の支払い　解説 P30

北海道商店に対して商品¥40,000を注文し、手付金として¥8,000を現金で支払った。

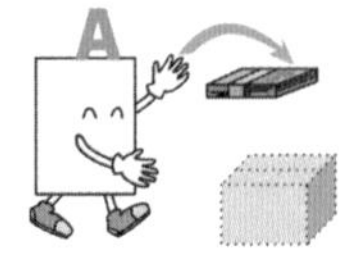

前　払　金	8,000	現　　金	8,000

問題2　手付金の受取り　解説 P31

商品¥40,000の注文を受け、手付金として現金¥8,000を受け取った。

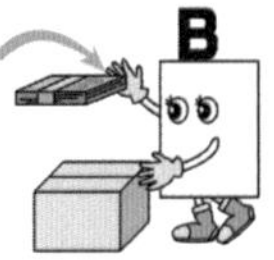

現　　金	8,000	前　受　金	8,000

問題3　商品の仕入れ　解説 P32

仕入先北海道商店に注文していた商品¥40,000が到着した。商品代金のうち20%は手付金としてあらかじめ支払済みであるため相殺し、残額は掛けとした。なお、商品の引取運賃¥600は着払い(当社負担)となっているため運送業者に現金で支払った。商品売買の記帳は3分法によるものとする。

仕　　入	40,600	前　払　金	8,000
		買　掛　金	32,000
		現　　金	600

問題4　商品の売上げ　解説 P34

得意先岩手商店に商品￥40,000（原価￥24,000）を送料￥1,000を含めた￥41,000で売り上げた。代金のうち￥8,000は注文時に受取った手付金と相殺し、残額は月末の受取りとした。なお、商品の発送時に、配送業者に送料￥1,000を現金で支払い、費用として処理した。

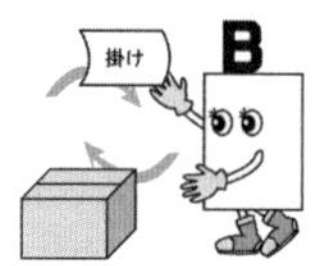

前受金 売掛金 発送費	8,000 33,000 1,000	売上 現金	41,000 1,000

問題5　商品の返品（返品した）　解説 P36

北海道商店から掛けで仕入れていた商品のうち、￥2,000が品違いのため返品をした。この分は同店に対する掛け代金より差し引かれた。商品売買の記帳は３分法によるものとする。

買掛金	2,000	仕入	2,000

問題6　商品の返品（返品された）　解説 P37

岩手商店に対して掛けで販売した商品のうち、￥3,000分が破損していたため返品された。商品売買の記帳は３分法によるものとする。

売上	3,000	売掛金	3,000

問題7 掛代金の支払い 解説 P38

仕入先に対する先月締めの掛代金￥30,000の支払いとして、先方の当座預金口座に現金￥30,000を振り込んだ。なお、振込手数料￥400は先方負担である。

買掛金	30,000	現金	30,000

問題8 掛代金の受取り 解説 P39

得意先から先月締めの掛代金￥30,000の回収として、振込手数料￥400（当社負担）を差し引かれた残額が当社の当座預金口座に振り込まれた。

当座預金 支払手数料	29,600 400	売掛金	30,000

問題9 買掛金と売掛金の相殺 解説 P40

本日、普通預金の状況を調べたところ、B商店に対する、売掛金￥500,000と買掛金￥100,000とが相殺され、差額が入金されていたことが判明した。

買掛金 普通預金	100,000 400,000	売掛金	500,000

問題10 売掛金と買掛金の相殺 解説 P41

本日、A商店に対する買掛金￥500,000および売掛金￥100,000の決済日につき、A商店の承諾を得て両者を相殺処理するとともに、買掛金の超過分￥400,000は当座預金口座から振り込んだ。

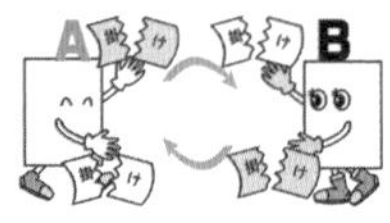

買掛金	500,000	売掛金 当座預金	100,000 400,000

● 証ひょうからの仕訳編

問題11　請求書（控）からの仕訳　解説P42

NS商事は、青葉商店に対する１か月分の売上(月末締め、翌月20日払い)を集計して次の請求書の原本を発送した。なお、青葉商店に対する売上は商品発送時ではなく１か月分をまとめて仕訳を行うこととしているため、適切に処理を行う。

請求書(控)

青葉商店　御中

株式会社ＮＳ商事

品物	数量	単価	金額
ボールペン	500	200	¥100,000
付箋セット	650	300	¥195,000
封筒セット	300	600	¥180,000
	合計		¥475,000

X8年6月20日までに合計額を下記口座へお振込み下さい。
東京銀行千代田支店　普通　1365932　カ）エヌエスシヨウジ

売　掛　金	475,000	売　上	475,000

問題12　請求書からの仕訳　解説P43

青葉商店は、ＮＳ商事より１か月分の仕入代金(月末締め翌月20日払い)の請求書を受け取った。なお、ＮＳ商事からの仕入は商品仕入時ではなく、１か月分をまとめて仕訳を行うこととしているため、適切に処理を行う。

請求書

青葉商店　御中

株式会社ＮＳ商事

品　物	数量	単価	金額
ボールペン	500	200	¥100,000
付箋セット	650	300	¥195,000
封筒セット	300	600	¥180,000
	合計		¥475,000

X8年6月20日までに合計額を下記口座へお振込み下さい。
東京銀行千代田支店　普通　1365932　カ）エヌエスシヨウジ

仕　入	475,000	買　掛　金	475,000

問題13　入出金明細からの仕訳①　解説P44

取引銀行のインターネットバンキングサービスから普通預金口座のＷＥＢ通帳(入出金明細)を参照した。３月17日において必要な仕訳を答えなさい。なお、株式会社リーマン食品は当社の商品の取引先であり、商品売買取引はすべて掛けとしている。

入出金明細

日付	内容	出金金額	入金金額	取引残高
3.17	振込　カ）リーマンシヨクヒン	250,000		省略

買掛金	250,000	普通預金	250,000

問題14　入出金明細からの仕訳②　解説P45

取引銀行のインターネットバンキングサービスから普通預金口座のＷＥＢ通帳(入出金明細)を参照した。３月18日において必要な仕訳を答えなさい。なお、烏丸株式会社は当社の商品の取引先であり、商品売買取引はすべて掛けとしている。

入出金明細

日付	内容	出金金額	入金金額	取引残高
3.18	振込　カラスマ（カ		394,500	省略

３月18日の入金は、当社負担の振込手数料￥500が差し引かれたものである。

普通預金 支払手数料	394,500 500	売掛金	395,000

● 伝票からの仕訳編

問題15　伝票からの仕訳①　解説P46

商品10,000円を売上げ、代金のうち2,000円を現金で受け取り、残額を掛けとしたとき、入金伝票を次のように作成した。

この取引の振替伝票に記入される仕訳を答えなさい。

入金伝票	
売　上	2,000

売　掛　金	8,000	売　上	8,000

問題16　伝票からの仕訳②　解説P47

商品10,000円を売上げ、代金のうち2,000円を現金で受け取り、残額を掛けとしたとき、入金伝票を次のように作成した。

この取引の振替伝票に記入される仕訳を答えなさい。

入金伝票	
売掛金	2,000

売　掛　金	10,000	売　上	10,000

● 商品券による販売編

問題 17　受取商品券　解説 P49

商品￥17,000を売り渡し、代金のうち￥10,000については当社と連盟している他社の商品券で受け取り、残額は現金で受け取った。なお、商品売買の記帳は３分法によるものとする。

受取商品券 現金	10,000 7,000	売上	17,000

● クレジットカードによる販売編

問題 18　クレジット売掛金　解説 P51

商品￥300,000をクレジット払いの条件で販売するとともに、信販会社へのクレジット手数料（販売代金の５％）を計上した。

クレジット売掛金 支払手数料	285,000 15,000	売上	300,000

● 債権と債務編

問題 19　手形貸付金（貸付時）　解説 P60

神奈川商店に資金¥40,000を貸し付けるため、同店振出しの約束手形を受け取り、同日中に当社の当座預金より神奈川商店の銀行預金口座に同額を振り込んだ。なお、利息¥1,000は返済時に受け取ることとした。

手形貸付金	40,000	当座預金	40,000

問題 20　手形借入金（借入時）　解説 P61

約束手形を振り出して¥40,000を借り入れ、その全額が当座預金の口座に振り込まれた。なお、利息¥1,000は返済時に支払うこととした。

当座預金	40,000	手形借入金	40,000

問題 21　貸付金（回収時）　解説 P62

得意先新潟商店に期間9か月、年利率4.5%で¥80,000を借用証書にて貸し付けていたが、本日満期日のため利息とともに同店振出しの小切手で返済を受けたので、ただちに当座預金に預け入れた。

当座預金	82,700	貸付金 受取利息	80,000 2,700

問題22　借入金（返済時）　解説P63

取引銀行から借入期間150日、年利率2.19%として¥200,000を借り入れていたが、支払期日が到来したため、元利合計を当座預金から返済した。なお、利息は1年を365日として日割計算する。

借　入　金 支　払　利　息	200,000 1,800	当　座　預　金	201,800

問題23　当座勘定照合表からの仕訳　解説P64

取引銀行のインターネットバンキングサービスから当座勘定照合表（入出金明細）を参照した。8月20日について必要な仕訳を答えなさい。

X8年9月2日

当座勘定照合表

株式会社ＮＳ商事　様

東京銀行千代田支店

取引日	摘要	お支払金額	お預り金額	取引残高
8.20	融資ご返済	800,000		省略
8.20	融資お利息	6,400		

借　入　金 支　払　利　息	800,000 6,400	当　座　預　金	806,400

問題 24　役員貸付金　解説 P65

5月1日に、当社の常務取締役Z氏に資金を貸し付ける目的で¥730,000の小切手を振り出した。ただし、その重要性を考慮して貸付金勘定ではなく、役員貸付けであることを明示する勘定を用いることとした。なお、貸付期間は最長3か月、利率は年利4％で利息は1年を365日として日割計算し、返済時に元金とともに受け取る条件となっている。

役員貸付金	730,000	当座預金	730,000

Check!

簿記を知らずして財務分析なんて…。

社長が会社のお金に手を付けて計上された役員貸付金(P65参照)。この社長は、会社が倒産しそうになると、おそらく、この役員貸付金を返済せずにドロン！

日頃から、会社よりも個人を優先している社長なのですから、いざとなれば会社の債権者を犠牲にしてでも自分を守ることでしょう。

しかし、財務分析上は役員貸付金も立派な貸付金として資産にカウントされ、流動比率などが計算されます。

つまり、財務分析だけを勉強しても簿記を勉強しなければ勘定科目の意味がわからず、ほとんど無意味なものになるのではないでしょうか。

やはり、簿記を勉強してこその財務分析だと私は思います。

● 受取手形・支払手形編

問題 25　約束手形の受け取り（受取手形）　解説 P68

ＮＳ商事は、群馬商店に商品￥50,000を販売したさいに、さきに掛けで販売したさいの代金￥30,000と合わせて￥80,000の約束手形を受け取った。

受取手形	80,000	売上 売掛金	50,000 30,000

問題 26　約束手形の振り出し（支払手形）　解説 P69

群馬商店は、ＮＳ商事より商品￥50,000を仕入れたさいに、さきに掛けで仕入れていたさいの代金￥30,000と合わせて￥80,000の約束手形を振り出した。

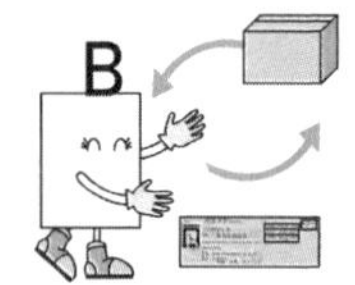

仕入 買掛金	50,000 30,000	支払手形	80,000

問題 27　当座勘定照合表からの仕訳　解説 P70

取引銀行のインターネットバンキングサービスから当座勘定照合表（入出金明細）を参照した。8月25日について必要な仕訳を答えなさい。小切手（No.106）は8月19日以前に振り出したものである。

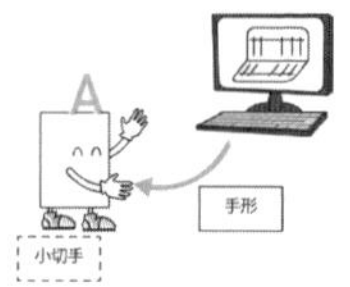

X8年9月2日

当座勘定照合表

株式会社国立府中商事　様

東京銀行千代田支店

取引日	摘要	お支払金額	お預り金額	取引残高
8.25	小切手引落（No.106）	50,000		省略
8.25	手形引落（No.550）	300,000		

支払手形	300,000	当座預金	300,000

● 電子記録債権・電子記録債務編

問題 28　電子記録債権の発生　解説 P74

島根商事に対する売掛金¥16,000の回収に関して、電子債権記録機関から取引銀行を通じて債権の発生記録の通知を受けた。

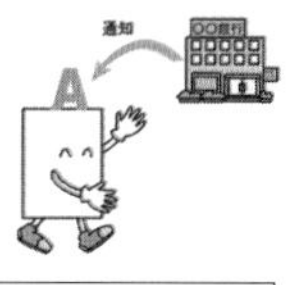

電子記録債権	16,000	売掛金	16,000

問題 29　電子記録債権の消滅　解説 P74

電子債権記録機関より発生記録の通知を受けていた電子記録債権の支払期日が到来し、当座預金の口座に¥16,000が振り込まれていたが、決算日現在、この取引の記帳はまだ行っていなかった。

当座預金	16,000	電子記録債権	16,000

問題 30　電子記録債務の発生　解説 P75

買掛金のうち取引銀行を通じて債務の発生記録を行った電子記録債務¥16,000の振替処理が漏れていることが判明した。

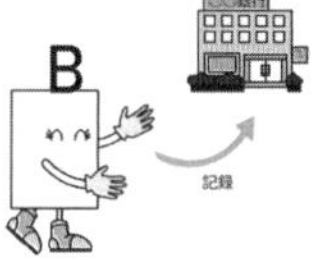

買掛金	16,000	電子記録債務	16,000

問題 31　電子記録債務の消滅　解説 P75

取引銀行を通じて債務の発生記録を行った電子記録債務の支払期日が到来し、当座預金の口座から¥16,000が引き落とされていたが、決算日現在、この取引の記帳はまだ行っていなかった。

電子記録債務	16,000	当座預金	16,000

● 費用の支払い編

問題 32　費用の支払い（小口現金）　解説 P82

小口現金係から、次のような支払の報告を受けたため、ただちに小切手を振り出して資金を補給した。なお、当社では、定額資金前渡制度（インプレスト・システム）により、小口現金係から毎週金曜日に一週間の支払報告を受け、これにもとづいて資金を補給している。支払額はすべて費用計上する。

交通費￥1,780　消耗品費￥1,340　雑費￥440

旅費交通費	1,780	当座預金	3,560
消耗品費	1,340		
雑費	440		

問題 33　費用の支払い（租税公課）　解説 P82

建物および土地の固定資産税￥10,000の納付書を受け取り、未払金にすることなく、ただちに現金で納付した。

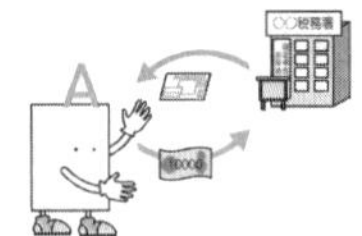

租税公課	10,000	現金	10,000

問題 34　費用の支払い（旅費交通費）　解説 P83

営業活動で利用する電車およびバスの料金支払用ＩＣカードに現金￥6,000をチャージ（入金）し、領収証の発行を受けた。なお、入金時に全額費用に計上する方法を用いている。

旅費交通費	6,000	現金	6,000

問題35　費用の支払い（広告宣伝費）　解説 P83

広告費用￥7,000を当社の普通預金口座から先方の当座預金口座に振り込んで支払った。なお、振込手数料￥300は先方負担である。

広告宣伝費	7,000	普通預金	7,000

問題36　費用の支払い（支払地代）　解説 P84

店舗の駐車場として使用している土地の本月分賃借料￥10,000を当社の普通預金口座から先方の当座預金口座に振り込んで支払った。なお、当方負担の振込手数料￥300も普通預金口座から引き落とされた。

支払地代	10,000	普通預金	10,300
支払手数料	300		

問題37　費用の支払い（郵送代金）　解説 P84

買掛金の支払いとして￥50,000の約束手形を振り出し、仕入先に対して郵送した。なお、郵送代金￥500は現金で支払った。

買掛金	50,000	支払手形	50,000
通信費	500	現金	500

問題38　従業員が立て替えた費用　解説P85

従業員が業務のために立て替えた1か月分の諸経費は次のとおりであった。なお、当社では従業員が立て替えた金額は翌月の給料に含めて支払うこととしており、未払金として計上した。

電車代￥2,100　タクシー代￥1,800

書籍代(消耗品費)￥1,200

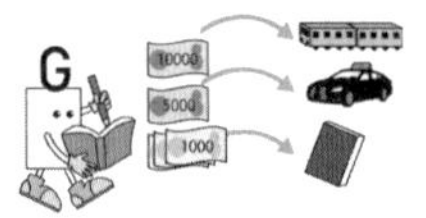

旅費交通費 消耗品費	3,900 1,200	未払金	5,100

問題39　消耗品の購入　解説P86

事務作業に使用する物品を購入し、品物とともに次の請求書を受け取り、代金は後日支払うこととした。

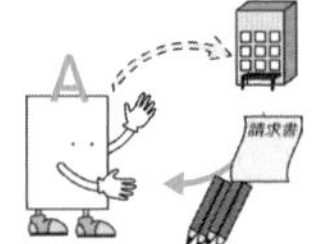

請求書

株式会社ＮＳ商事　様

平川商会株式会社

品物	数量	単価	金額
コピー用紙（500枚入）	15	600	￥ 9,000
プリンターインク	4	1,500	￥ 6,000
カラーペン（20本入）	20	700	￥14,000
送料	−	−	￥ 500
	合計		￥29,500

X2年2月27日までに合計額を下記口座へお振込み下さい。
B銀行平川支店　普通　1234567　ヒラカワシヨウカイ（カ

消耗品費	29,500	未払金	29,500

問題40　領収書による費用の支払い　解説 P87

出張旅費を本人が立て替えて支払っていた従業員O氏が出張から帰社し、下記の領収書を提示したので、当社の普通預金口座から従業員の指定する普通預金口座へ振り込んで精算した。

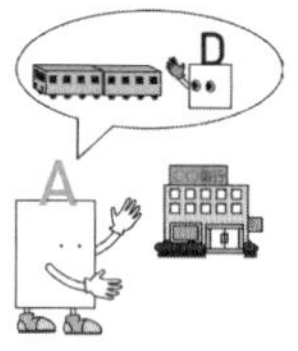

No.1632
X2年9月7日

領　収　書

株式会社ＮＳ物産　様

¥　41,800

但し　旅客運賃として
上記金額を正に領収いたしました。

銀河鉄道株式会社(公印省略)
サザンクロス駅発行　取扱者かおる子(捺印省略)

旅費交通費	41,800	普通預金	41,800

問題41　報告書及び領収書による費用の支払い　解説 P88

従業員が出張から戻り、下記の報告書及び領収証を提出したので、本日、全額を費用として処理した。旅費交通費など報告書記載の金額は、その全額を従業員が立替えて支払っており、月末に従業員に支払うことにしている。

なお、電車代は領収書なしでも費用に計上する。

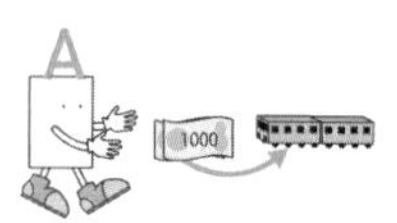

旅費交通費等報告書

矢来清郎

移動先	手段等	領収書	金　額
九条商店	電車	無	6,100円
ホテル三密	宿泊	有	3,330円
帰　社	電車	無	6,100円
	合　計		15,530円

領　収　書

ＮＳ商事（株）
矢来清郎 様

金　3,330円

但し、宿泊料として

ホテル三密

旅費交通費	15,530	未払金	15,530

● 決算整理と再振替編

問題42　切手・印紙の購入　解説 P91

郵便局で、200円の収入印紙40枚と、63円のはがき40枚、84円の切手20枚を購入し、代金は現金で支払った。

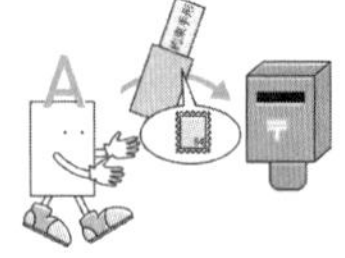

借方科目	金額	貸方科目	金額
租税公課	8,000	現金	12,200
通信費	4,200		

問題43　切手・印紙の決算整理　解説 P91

決算にあたり、商品以外の物品の現状を調査したところ、すでに費用処理されている収入印紙（@￥200）5枚、はがき（@￥63）10枚、切手（@￥84）5枚が未使用であることが判明したため、適切な勘定へ振り替える。

借方科目	金額	貸方科目	金額
貯蔵品	2,050	租税公課	1,000
		通信費	1,050

問題44　切手・印紙の再振替仕訳　解説 P92

翌期首にあたり、前期末に振り替えた勘定から元の勘定への再振替仕訳を行う。

借方科目	金額	貸方科目	金額
租税公課	1,000	貯蔵品	2,050
通信費	1,050		

問題 45　費用の前払い　解説 P93

当社は毎月28日に翌月分の家賃20,000円を現金で支払っている。

本日(3月31日)、決算となったため、すでに支払った4月分の家賃を前払分として計上する。

前払家賃	20,000	支払家賃	20,000

問題 46　収益の前受け　解説 P94

当社は毎月28日に翌月分の家賃20,000円を現金で受け取っている。

本日(3月31日)、決算となったため、すでに受け取った4月分の家賃を前受分として計上する。

受取家賃	20,000	前受家賃	20,000

問題 47　費用の未払い　解説 P95

当社は12月1日に、600,000円を、期間1年、年利2％で借り入れた。なお、利息は元本の返済時(11月30日)に支払う約束となっている。

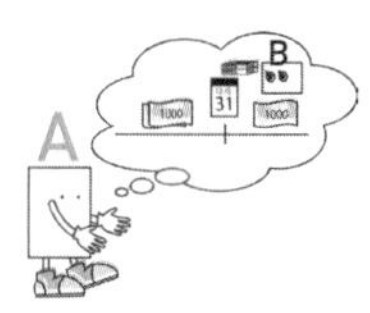

本日(3月31日)、決算をむかえたため、利息の未払分を月割りで計上する。

支払利息	4,000	未払利息	4,000

問題48　収益の未収　解説 P96

当社は12月1日に、600,000円を、期間1年、年利2％で貸し付けた。なお、利息は元本の回収時(11月30日)に受取る約束となっている。

本日(3月31日)、決算をむかえたため、利息の未収分を月割りで計上する。

未収利息	4,000	受取利息	4,000

商業は金額で、製造業は率で判断すべし

新たに取引を始めるときには、誰しも「儲かるのだろうか」を考え、判断して行います。

ただこのときに、外部から買ってきてそのまま販売する商業と、材料を買ってきて加工し、製造した製品を販売する製造業では、考え方を変える必要があります。

たとえば、商業なのに「利益率30％の維持」を判断基準にしていたとしましょう。この率以下の取引には対応できなくなるので、ライバルが28％の利益率で提案してくれば、十分に儲けられる案件も失注することになります。ですから「利益額が出ているか」で判断し取引先を開拓していくべきでしょう。

逆に製造業の会社が「利益が出ればいい」と判断して、薄い利益で製造を請け負ったとしましょう。すると製造期間中に、数ある原価要素の中の何かが暴騰して、製造途中に「損失が出る」とわかったとしても、いったん請負った金額を変えるわけにもいかず、ましてや会社の信用上、取引をやめるわけにもいかないまま損失を被る、などということになりかねません。ですから、あらかじめ利益を残せるだけの率を設けておき、それ以下の案件はリスクがあるとみて「材料が暴騰した場合は請負額を見直す」といった条件をつけて対応するのが良策になります。

折角この本を選んでいただいた皆さんに、なんとか『実際に使える知識を提供したい』と思っての、コラムです。頭の片隅に残しておいていただければ有難いです。

● 仮払金・仮受金編

問題49　仮払金の発生　解説 P102

従業員の出張にあたり、旅費の概算額¥6,000を現金で支払った。

仮　払　金	6,000	現　　金	6,000

問題50　仮払金の精算（不足）　解説 P102

従業員の出張旅費の概算額として¥6,000を支払っていたが、本日、従業員が帰社し出張旅費を精算したところ、概算額よりも¥800多くかかり、従業員が立替えていたことが判明したため、この不足額を現金で支払った。

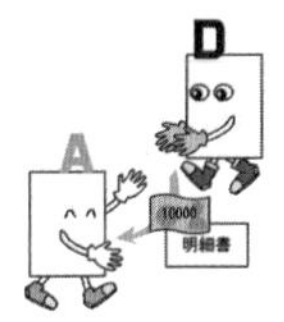

旅費交通費	6,800	仮　払　金 現　　金	6,000 800

問題51　仮受金の発生　解説 P103

出張中の従業員から、当座預金口座へ¥19,600の振込みがあったが、その詳細は不明である。

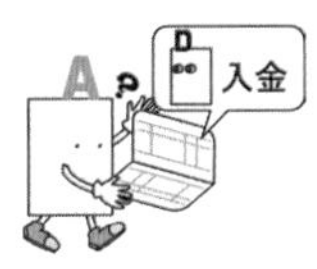

当座預金	19,600	仮　受　金	19,600

問題52　仮受金の原因判明　解説P103

出張中の従業員から当座預金口座に振り込まれ、仮受金として処理していた¥19,600は、得意先福島商店から注文を受けたさいに受領した手付金¥6,000と、得意先群馬商店から回収した売掛代金¥13,600であることが判明した。

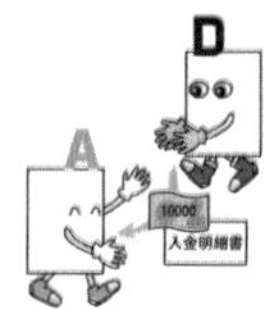

仮　受　金	19,600	前　受　金	6,000
		売　掛　金	13,600

誰がこんな仕訳するねん！

出張に出た従業員からの、内容不明の入金。
それを知った経理担当が仮受金として仕訳をする。

そんな馬鹿なー。
仕訳する前に、出張中の担当者の携帯電話に連絡して、入金内容、聞くよね。

ほんと、時代遅れな設定の処理。
そもそも、いまの時代、集金のために出張に行くなんてこと自体、ほとんどないだろうけどね。

法人税等の処理編

問題53　法人税等（中間納付）　解説 P105

中間申告を行い、法人税￥20,000、住民税￥5,000および事業税￥6,000を現金で納付した。

仮払法人税等	31,000	現　　金	31,000

問題54　法人税等（決算時）　解説 P106

決算にあたり、当期の法人税￥50,000、住民税￥10,000、事業税￥14,000を見積もった。なお、中間申告の際に、￥31,000を現金で納付している。

法人税、住民税及び事業税	74,000	仮払法人税等 未払法人税等	31,000 43,000

お金には、思いがこもっている

『お金には、支払った人の思いがこもっている』と、勝手にそう思っています。

「悪銭身につかず(悪いことをして得たお金は、結局、無為に失ってしまう)」とは、よく言ったもので、楽して得たお金は、なんとなく使ってしまうし、額(や脳みそ)に汗して手に入れたお金は、しっかりと使える、そんなものです。

では当社、ネットスクールに入ってくるお金は、どんなお金かというと、学ぶ人が「自分の人生を何とか良くしたい」と思って使った、なけなしのお金だと思っています。

我々はその思いに応えるべく、今後も、よりよい書籍、よりよいWEB講座を提供していかなければと思っています。

問題55　法人税等① 中間納付時　解説 P107

以下の納付書にもとづき、当社の普通預金口座から法人税等を振り込んだ。

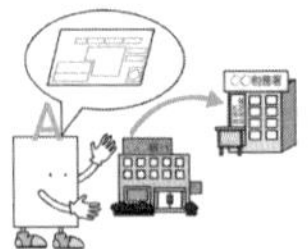

領　収　証　書

科目	法人税

本　　税	¥400,000
○ ○ ○ 税	
△　△　税	
□□税	
×× 税	
合 計 額	¥400,000

納期等の区分	X30401 X40331
㊥中間申告（○印）	確定申告

住所	東京都千代田区○○
氏名	株式会社ＮＳ商事

出納印 X3.11.9 東京銀行

仮払法人税等	400,000	普通預金	400,000

問題56　法人税等② 納付時　解説 P108

以下の納付書にもとづき、当社の普通預金口座から法人税等を振り込んだ。

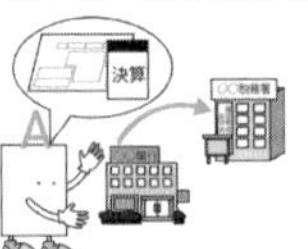

領　収　証　書

科目	法人税

本　　税	¥450,000
○ ○ ○ 税	
△　△　税	
□□税	
×× 税	
合 計 額	¥450,000

納期等の区分	X30401 X40331
中間申告	確定申告（○印）

住所	東京都千代田区○○
氏名	株式会社ＮＳ商事

出納印 X4.5.30 東京銀行

未払法人税等	450,000	普通預金	450,000

● 消費税の処理（税抜方式）編

問題 57　消費税の処理（仕入時）　解説 P110

商品（本体価格￥70,000）を仕入れ、代金は10％の消費税を含めて掛けとした。なお、消費税については税抜方式で記帳する。

借方科目	金額	貸方科目	金額
仕入	70,000	買掛金	77,000
仮払消費税	7,000		

問題 58　消費税の処理（売上時）　解説 P111

商品（本体価格￥100,000）を売り上げ、代金は10％の消費税を含めて掛けとした。なお、消費税については税抜方式で記帳する。

借方科目	金額	貸方科目	金額
売掛金	110,000	売上	100,000
		仮受消費税	10,000

問題 59　消費税の処理（決算時）　解説 P112

決算にあたり、商品売買取引に係る消費税の納付額を計算し、これを確定した。

なお、消費税の仮払分は￥7,000、仮受分は￥10,000であり、消費税の記帳方法として税抜方式を採用している。

借方科目	金額	貸方科目	金額
仮受消費税	10,000	仮払消費税	7,000
		未払消費税	3,000

問題60　消費税の処理（納付時）　解説 P113

以下の納付書にもとづき、当社の普通預金口座から消費税を振り込んだ。

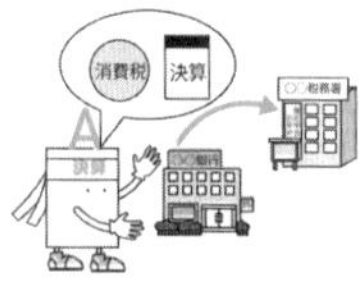

領　収　証　書

科目	
消費税及び地方消費税	

本　　税	¥3,000
○○○税	
△　△　税	
□□税	
××税	
合計額	¥3,000

納期等の区分	X30401 X40331
中間申告	確定申告

住所	東京都千代田区○○
氏名	株式会社ＮＳ商事

出納印
X4.5.30
東京銀行

未払消費税	3,000	普通預金	3,000

2023年インボイス制度導入（消費税）

これまでは、仕入先の年間売上が1,000万円に達していない（＝消費税の納税義務がない）会社でも、仕入先が請求書に「消費税10%」と表示して請求してくれば、どうせ仮払消費税が増えて、消費税の納税額（未払消費税）が小さくなるだけだし、確認するすべもないので、そのまま支払っていました。

この仕入先にとっては、受け取った消費税は、預かりながらも納税することはないので、そのまま儲けになっていました。

2023年、これがインボイス（消費税の納税義務を証明するもの）を提示しないと、消費税分を受取れなくなるのです。

まあ、いいことですよね。これまで儲けていたのがおかしいのですから。

● 給料の支払い編

問題61　給料の支払い　解説P116

従業員への給料の支払いにあたり、給料総額￥70,000のうち、本人負担の社会保険料￥4,000と、所得税の源泉徴収分￥2,800を差し引き、残額を現金で支払った。

給料	70,000	社会保険料預り金 所得税預り金 現金	4,000 2,800 63,200

問題62　源泉所得税預り金の支払い　解説P117

所轄税務署より納期の特例承認を受けている源泉徴収所得税の納付として1月から6月までの合計税額￥2,800を、納付書とともに銀行において現金で納付した。

所得税預り金	2,800	現金	2,800

問題63　社会保険料預り金の支払い　解説P117

給料の支払時に差し引いていた社会保険料￥4,000と同額の会社負担分を計上するとともに、それを銀行において現金で納付した。

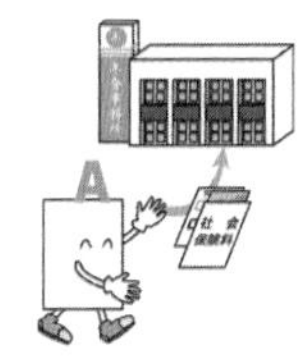

社会保険料預り金 法定福利費	4,000 4,000	現金	8,000

問題64　入出金明細からの仕訳　解説P118

取引銀行のインターネットバンキングサービスから普通預金口座のＷＥＢ通帳(入出金明細)を参照した。３月20日において必要な仕訳を答えなさい。

入出金明細

日付	内容	出金金額	入金金額	取引残高
3.20	給与振込	892,000		省略
3.20	振込手数料	1,000		

３月20日の給与振込額は、所得税の源泉徴収額￥70,000を差し引いた額である。

借方科目	金額	貸方科目	金額
給料	962,000	普通預金	893,000
支払手数料	1,000	所得税預り金	70,000

数字はビジネス上のコミュニケーション・ツールの1つ

ビジネスの世界には、「言語(母国語)」、「ＩＴスキル」、そして「数的スキル」の3つのコミュニケーション・ツールがあると言われていますが、その1つである「数的スキル」を学ぶには、圧倒的に簿記なのです。

例えば、英語がわからないと外国の方とのコミュニケーションがとれないのと同じで、数字がわからないと数的な思考や説得、そして対応ができない、結果として相手の言いなりになってしまうということを意味しています。このような状況を避けるためには、簿記を学んで「数的スキル」を身につけておく必要があります。

みなさん、折角３級を学んだのですから、原価の考え方や損益分岐点の分析といった、より使える知識があり、「私は会社の数字がわかっています」という証明にもなる２級に、ぜひ、進んでください。

ＷＥＢ講座で２級を担当している私としては、みなさんに受講していただくことが最上なのですが、そうでなくても、ぜひ、２級までは…。

● 現金過不足編

問題65　現金過不足（発生時）　解説P121

月末に現金の実査を行ったところ、現金の実際有高が帳簿残高より¥4,200不足であることが判明したため、帳簿残高と実際有高とを一致させる処理を行うとともに、引き続き原因を調査することとした。なお、当社では、現金過不足の雑益または雑損勘定への振り替えは決算時に行うこととしている。

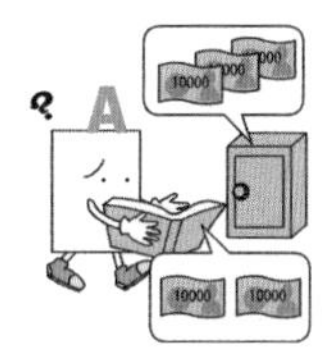

現金過不足	4,200	現金	4,200

問題66　現金過不足（判明時）　解説P122

現金の実際有高が帳簿残高より不足していたため現金過不足勘定で処理していたが、本日、旅費交通費¥1,360が記入漏れとなっていたことが判明した。

旅費交通費	1,360	現金過不足	1,360

問題67　現金過不足（決算時）　解説P123

決算日において、現金過不足(不足額)¥2,840の原因をあらためて調査した結果、通信費¥3,600の支払い、および手数料の受取額¥1,200の記入もれが判明した。残りの金額は原因が不明であったので、適切な処理を行う。

通信費	3,600	現金過不足	2,840
雑損	440	受取手数料	1,200

4

● 会社の設立と利益処分編

問題68　株式の発行（会社の設立）　解説 P130

NS商事株式会社の会社設立にあたり、株式10株を1株あたり¥50,000で発行し、出資者からの払込みを受け、同額を普通預金口座に預け入れた。なお、発行価額の全額を資本金として処理する。

普通預金	500,000	資本金	500,000

問題69　保証金の支払い　解説 P131

事務所の賃借契約を行い、下記の振込依頼書通りに当社普通預金口座から振り込み、賃借を開始した。仲介手数料は費用として処理すること。

振込依頼書

株式会社ＮＳ商事　御中

株式会社山野不動産

ご契約ありがとうございます。以下の金額を下記口座へお振込ください。

品　物	金額
仲介手数料	¥ 6,000
敷金	¥24,000
初月賃料	¥12,000
合計	¥42,000

東京銀行千代田支店　当座　1628951　カ）ヤマノフドウサン

支払手数料 差入保証金 支払家賃	6,000 24,000 12,000	普通預金	42,000

問題70　純利益の繰越利益剰余金への振替　解説P132

決算にさいし、損益勘定を作成し、その記録によると、当期の収益総額は¥400,000で費用総額は¥300,000であった。この差額である当期の純利益を繰越利益剰余金勘定へ振り替える。

損　　益	100,000	繰越利益剰余金	100,000

問題71　株主総会での利益処分　解説P134

6月25日、株主総会で、繰越利益剰余金¥100,000の一部を次のとおり処分することが承認された。

株主配当金：¥70,000

利益準備金の積立て：¥7,000

繰越利益剰余金	77,000	未払配当金 利益準備金	70,000 7,000

Check!

利益とは何か

ある会社が1,000万円の利益を上げたとしましょう。

これを市場全体から見ると、その会社が市場に支払ったもの(費用)よりも、市場から手に入れたもの(収益)の方が1,000万円多かったことを意味しています。

ではなぜ、市場はその会社に1,000万円多く支払ったのでしょうか。

それは、市場が、その会社の提供する商品や動きを評価して多く支払った、つまり「利益は市場からの投資」だと考えることができるでしょう。

利益という形で、市場から投資を受けた以上、さらにお客さんの喜びを作るなどして、市場に返さないとですよね。それをしっかり返すと、また市場が投資をしてくれて、徐々に会社が大きくなっていく。

そんな風になっているんじゃないでしょうか。

● 固定資産編

問題72　固定資産（土地）の購入　解説 P137

出店用の土地165㎡を1㎡あたり¥40で購入し、購入手数料¥200を含む代金の全額を後日支払うこととした。また、この土地の整地費用¥100を現金で支払った。

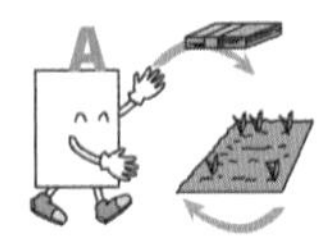

土地	6,900	未払金	6,800
		現金	100

問題73　固定資産（土地）の売却　解説 P138

以前に購入していた土地（帳簿価額¥6,900）を¥7,100で売却し、代金は後日受け取ることにした。

未収入金	7,100	土地	6,900
		固定資産売却益	200

問題74　固定資産等の購入　解説 P139

×3年4月4日、新入社員向け事務処理用パソコン5台（@¥13,200）と事務用文房具¥10,000を購入し、代金は月末に支払うこととした。また、パソコンのセッティング費用¥6,000については現金で支払った。なお、当社では文房具については支払額の全額を、当期の費用として処理する方法をとっている。

備品	72,000	未払金	76,000
消耗品費	10,000	現金	6,000

問題75　領収書からの固定資産の購入の仕訳　解説 P140

×3年12月1日に事務所として使用する建物を購入し、次の領収書を受け取った。なお、代金はすでに支払い済みであり、仮払金勘定で処理してある。

領収書

株式会社ＮＳ商事　様

山野不動産株式会社

品　物	数量	単価	金額
事務所建物	1	800,000	￥800,000
手数料	−	−	￥ 40,000
登記料	−	−	￥ 10,000
	合計		￥850,000

上記の合計額を領収いたしました。

収入印紙　印　円

建　物	850,000	仮 払 金	850,000

問題76　固定資産の減価償却　解説 P141

決算において、×3年4月4日に購入した備品(取得原価￥72,000、残存価額ゼロ、耐用年数6年)と、×3年12月1日に購入した建物(取得原価￥850,000、耐用年数30年、残存価額は取得原価の10%)の減価償却を定額法で行う。なお、決算日は×4年3月31日とする。

減価償却費	20,500	備品減価償却累計額 建物減価償却累計額	12,000 8,500

問題77　固定資産の修繕

解説 P142

建物の改築と修繕を行い、代金¥20,000を普通預金口座から支払った。うち建物の資産価値を高める支出額(資本的支出)は¥16,000であり、建物の現状を維持するための支出額(収益的支出)は¥4,000である。

建物	16,000	普通預金	20,000
修繕費	4,000		

問題78　固定資産の売却

解説 P143

×3年4月4日に購入した備品(取得原価¥72,000、残存価額ゼロ、耐用年数6年、定額法で計算、間接法)が不用になったので、本日(×7年6月30日)¥16,000で売却し、代金は翌月末に受け取ることにした。

なお、決算日は3月31日とし、減価償却費は月割りで計算する。

備品減価償却累計額	48,000	備品	72,000
減価償却費	3,000		
未収入金	16,000		
固定資産売却損	5,000		

● 貸倒れ編

問題 79　貸倒引当金の繰入　解説 P146

売上債権(受取手形、電子記録債権、売掛金)の残高に対して２％の貸倒引当金を差額補充法で設定する。

残高試算表

受取手形	160,000	貸倒引当金	1,000
電子記録債権	90,000		
売掛金	200,000		

貸倒引当金繰入	8,000	貸倒引当金	8,000

問題 80　貸倒れ　解説 P147

得意先が倒産し、前年度の商品売上にかかわる売掛金￥6,000が回収できなくなったので、貸倒れの処理を行う。なお、貸倒引当金の残高は￥5,000である。

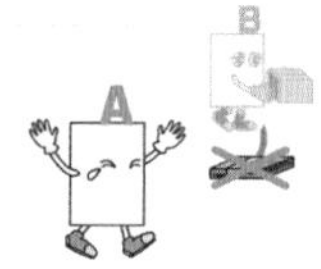

貸倒引当金	5,000	売掛金	6,000
貸倒損失	1,000		

問題 81　償却債権取立益　解説 P148

前期に貸倒れとして処理していた長野商店に対する売掛金￥18,000のうち、￥14,000が回収され、普通預金の口座に振り込まれた。なお、貸倒引当金勘定には￥6,000の残高がある。

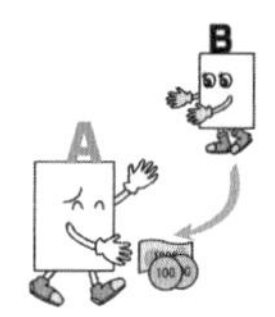

普通預金	14,000	償却債権取立益	14,000

● 売上原価編

問題82　売上原価の算定　解説P151

解説P151

決算となり、棚卸を行ったところ、期末商品の金額は20,000円であった。売上原価を算定するための仕訳を示しなさい。

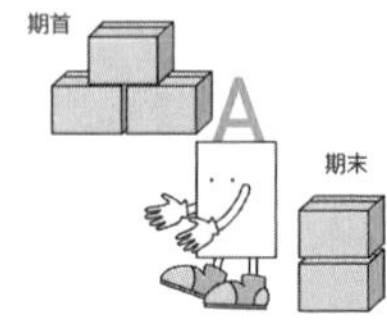

残高試算表

繰越商品	10,000	売上	240,000
仕入	90,000		

借方科目	金額	貸方科目	金額
仕入	10,000	繰越商品	10,000
繰越商品	20,000	仕入	20,000

● 仕訳の訂正編

問題83　仕訳の訂正　解説P153

解説P153

商品65,000円を掛けで売り上げたさいに、金額を誤って56,000円と処理し、さらに売掛金勘定を未収入金勘定で処理してしまっていた。

訂正するための仕訳を示しなさい。

借方科目	金額	貸方科目	金額
売掛金	65,000	未収入金	56,000
		売上	9,000

復　習

1週間後

● 通常の商品売買編

問題 1　手付金の支払い　解説 P30

北海道商店に対して商品￥80,000を注文し、手付金として￥16,000を現金で支払った。

前　払　金	16,000	現　　金	16,000

問題 2　手付金の受取り　解説 P31

商品￥80,000の注文を受け、手付金として現金￥16,000を受け取った。

現　　金	16,000	前　受　金	16,000

問題 3　商品の仕入れ　解説 P32

仕入先北海道商店に注文していた商品￥80,000が到着した。商品代金のうち20%は手付金としてあらかじめ支払済みであるため相殺し、残額は掛けとした。なお、商品の引取運賃￥1,200は着払い（当社負担）となっているため運送業者に現金で支払った。商品売買の記帳は3分法によるものとする。

仕　　入	81,200	前　払　金	16,000
		買　掛　金	64,000
		現　　金	1,200

1

問題4　商品の売上げ　解説 P34

得意先岩手商店に商品￥80,000（原価￥48,000）を送料￥2,000を含めた￥82,000で売り上げた。代金のうち￥16,000は注文時に受取った手付金と相殺し、残額は月末の受取りとした。なお、商品の発送時に、配送業者に送料￥2,000を現金で支払い、費用として処理した。

前受金	16,000	売上	82,000
売掛金	66,000		
発送費	2,000	現金	2,000

問題5　商品の返品（返品した）　解説 P36

北海道商店から掛けで仕入れていた商品のうち、￥4,000が品違いのため返品をした。この分は同店に対する掛け代金より差し引かれた。商品売買の記帳は３分法によるものとする。

買掛金	4,000	仕入	4,000

問題6　商品の返品（返品された）　解説 P37

岩手商店に対して掛けで販売した商品のうち、￥6,000分が破損していたため返品された。商品売買の記帳は３分法によるものとする。

売上	6,000	売掛金	6,000

問題7　掛代金の支払い　解説 P38

仕入先に対する先月締めの掛代金￥60,000の支払いとして、先方の当座預金口座に現金￥60,000を振り込んだ。なお、振込手数料￥400は先方負担である。

買掛金	60,000	現金	60,000

問題8　掛代金の受取り　解説 P39

得意先から先月締めの掛代金￥60,000の回収として、振込手数料￥400（当社負担）を差し引かれた残額が当社の当座預金口座に振り込まれた。

当座預金 支払手数料	59,600 400	売掛金	60,000

問題9　買掛金と売掛金の相殺　解説 P40

本日、普通預金の状況を調べたところ、B商店に対する、売掛金￥1,000,000と買掛金￥200,000とが相殺され、差額が入金されていたことが判明した。

買掛金 普通預金	200,000 800,000	売掛金	1,000,000

問題10　売掛金と買掛金の相殺　解説 P41

本日、A商店に対する買掛金￥1,000,000および売掛金￥200,000の決済日につき、A商店の承諾を得て両者を相殺処理するとともに、買掛金の超過分￥800,000は当座預金口座から振り込んだ。

買掛金	1,000,000	売掛金 当座預金	200,000 800,000

● 証ひょうからの仕訳編

問題 11 請求書（控）からの仕訳 解説 P42

NS商事は、青葉商店に対する1か月分の売上(月末締め、翌月20日払い)を集計して次の請求書の原本を発送した。なお、青葉商店に対する売上は商品発送時ではなく1か月分をまとめて仕訳を行うこととしているため、適切に処理を行う。

請求書(控)

青葉商店　御中

株式会社ＮＳ商事

品物	数量	単価	金額
ボールペン	1,000	200	¥200,000
付箋セット	1,300	300	¥390,000
封筒セット	600	600	¥360,000
	合計		¥950,000

X8年6月20日までに合計額を下記口座へお振込み下さい。
東京銀行千代田支店　普通　1365932　カ）エヌエスシヨウジ

売掛金	950,000	売上	950,000

問題 12 請求書からの仕訳 解説 P43

青葉商店は、ＮＳ商事より1か月分の仕入代金(月末締め翌月20日払い)の請求書を受け取った。なお、ＮＳ商事からの仕入は商品仕入時ではなく、1か月分をまとめて仕訳を行うこととしているため、適切に処理を行う。

請求書

青葉商店　御中

株式会社ＮＳ商事

品　物	数量	単価	金額
ボールペン	1,000	200	¥200,000
付箋セット	1,300	300	¥390,000
封筒セット	600	600	¥360,000
	合計		¥950,000

X8年6月20日までに合計額を下記口座へお振込み下さい。
東京銀行千代田支店　普通　1365932　カ）エヌエスシヨウジ

仕入	950,000	買掛金	950,000

問題13　入出金明細からの仕訳①　解説P44

取引銀行のインターネットバンキングサービスから普通預金口座のＷＥＢ通帳(入出金明細)を参照した。３月17日において必要な仕訳を答えなさい。なお、株式会社リーマン食品は当社の商品の取引先であり、商品売買取引はすべて掛けとしている。

入出金明細

日付	内容	出金金額	入金金額	取引残高
3.17	振込　カ）リーマンシヨクヒン	500,000		省略

借方科目	金額	貸方科目	金額
買掛金	500,000	普通預金	500,000

問題14　入出金明細からの仕訳②　解説P45

取引銀行のインターネットバンキングサービスから普通預金口座のＷＥＢ通帳(入出金明細)を参照した。３月18日において必要な仕訳を答えなさい。なお、烏丸株式会社は当社の商品の取引先であり、商品売買取引はすべて掛けとしている。

入出金明細

日付	内容	出金金額	入金金額	取引残高
3.18	振込　カラスマ（カ		789,500	省略

３月18日の入金は、当社負担の振込手数料￥500が差し引かれたものである。

借方科目	金額	貸方科目	金額
普通預金 支払手数料	789,500 500	売掛金	790,000

● 伝票からの仕訳編

問題 15　伝票からの仕訳①　　解説 P46

商品20,000円を売上げ、代金のうち4,000円を現金で受け取り、残額を掛けとしたとき、入金伝票を次のように作成した。

この取引の振替伝票に記入される仕訳を答えなさい。

入金伝票	
売　上	4,000

売　掛　金	16,000	売　上	16,000

問題 16　伝票からの仕訳②　　解説 P47

商品20,000円を売上げ、代金のうち4,000円を現金で受け取り、残額を掛けとしたとき、入金伝票を次のように作成した。

この取引の振替伝票に記入される仕訳を答えなさい。

入金伝票	
売掛金	4,000

売　掛　金	20,000	売　上	20,000

● 商品券による販売編

問題17　受取商品券　解説 P49

商品￥34,000を売り渡し、代金のうち￥20,000については当社と連盟している他社の商品券で受け取り、残額は現金で受け取った。なお、商品売買の記帳は3分法によるものとする。

受取商品券	20,000	売上	34,000
現金	14,000		

● クレジットカードによる販売編

問題18　クレジット売掛金　解説 P51

商品￥600,000をクレジット払いの条件で販売するとともに、信販会社へのクレジット手数料(販売代金の5％)を計上した。

クレジット売掛金	570,000	売上	600,000
支払手数料	30,000		

「送料は弊社が負担いたします！」って、本当？
～収益の認識に関する会計基準～

2022年度から日商簿記検定試験の出題範囲に加わった『収益の認識に関する会計基準』では、収益は「履行義務を充足したとき」に計上されることになりました。

では、履行義務とはなんでしょうか。

例えば、コンビニで商品を売っている立場で考えてみましょう。

まず、商品を陳列することにより、「この商品は100円で売りますよ」という意思表示(気持ちを表すこと)をします。

その商品を、お客さんが手に取り、レジに持ってくることで、お客さんから「この商品を100円で買いますよ」という意思表示を受けます。

この時点で、商品の売買契約が成立していると考えるので、コンビニには、代金を受け取る権利とともに、商品を引き渡す義務が発生しています。

そして、この義務を履行した(履行義務を充足した)ときに、売上を計上します。したがって、今の基準で収益を認識するタイミングは「相手先が希望した商品が届いたことを確認したとき」となり、つまり「着荷・検収が終わったとき」ということになります。

次に売上の金額について考えてみましょう。

よくテレビの通販番組とかで「送料は弊社が負担いたします！」などと言っていますが、本当でしょうか？送料を負担した結果、その分が赤字になるようなら会社が維持できませんので、実質、送料分の収益は売上の中で得ているはずです。

また、お歳暮のように「届けるまでが1つの履行義務」である場合は商品代金と送料として受け取ったものを分けることの意味は乏しいでしょう。

そこで、このような場合には、商品代金と送料として受け取ったものを区別することなく、売掛金、売上として計上し、別途、実際にかかった送料を費用として計上する処理を行うのです。

つまり、売上げて発送費を支払った場合には、送料の負担者に関係なく、次の仕訳になります。

(借)売　掛　金	○○○	(貸)売　　　上	○○○
(借)発　送　費	△△	(貸)現金　など	△△

● 債権と債務編

問題 19　手形貸付金（貸付時）　解説 P60

神奈川商店に資金￥80,000を貸し付けるため、同店振出しの約束手形を受け取り、同日中に当社の当座預金より神奈川商店の銀行預金口座に同額を振り込んだ。なお、利息￥2,000は返済時に受け取ることとした。

手形貸付金	80,000	当座預金	80,000

問題 20　手形借入金（借入時）　解説 P61

約束手形を振り出して￥80,000を借り入れ、その全額が当座預金の口座に振り込まれた。なお、利息￥2,000は返済時に支払うこととした。

当座預金	80,000	手形借入金	80,000

問題 21　貸付金（回収時）　解説 P62

得意先新潟商店に期間９か月、年利率4.5％で￥160,000を借用証書にて貸し付けていたが、本日満期日のため利息とともに同店振出しの小切手で返済を受けたので、ただちに当座預金に預け入れた。

当座預金	165,400	貸付金	160,000
		受取利息	5,400

問題 22　借入金（返済時）　解説 P63

取引銀行から借入期間150日、年利率2.19％として￥400,000を借り入れていたが、支払期日が到来したため、元利合計を当座預金から返済した。なお、利息は１年を365日として日割計算する。

借入金	400,000	当座預金	403,600
支払利息	3,600		

問題23　当座勘定照合表からの仕訳　解説 P64

取引銀行のインターネットバンキングサービスから当座勘定照合表(入出金明細)を参照した。8月20日について必要な仕訳を答えなさい。

X8年9月2日

当座勘定照合表

株式会社ＮＳ商事　様

東京銀行千代田支店

取引日	摘要	お支払金額	お預り金額	取引残高
8.20	融資ご返済	1,600,000		省略
8.20	融資お利息	12,800		

借入金 支払利息	1,600,000 12,800	当座預金	1,612,800

問題24　役員貸付金　解説 P65

5月1日に、当社の常務取締役Ｚ氏に資金を貸し付ける目的で¥1,460,000の小切手を振り出した。ただし、その重要性を考慮して貸付金勘定ではなく、役員貸付けであることを明示する勘定を用いることとした。なお、貸付期間は最長3か月、利率は年利4％で利息は1年を365日として日割計算し、返済時に元金とともに受け取る条件となっている。

役員貸付金	1,460,000	当座預金	1,460,000

● 受取手形・支払手形編

問題25　約束手形の受け取り（受取手形）　解説 P68

ＮＳ商事は、群馬商店に商品￥100,000を販売したさいに、さきに掛けで販売したさいの代金￥60,000と合わせて￥160,000の約束手形を受け取った。

受取手形	160,000	売上 売掛金	100,000 60,000

問題26　約束手形の振り出し（支払手形）　解説 P69

群馬商店は、ＮＳ商事より商品￥100,000を仕入れたさいに、さきに掛けで仕入れていたさいの代金￥60,000と合わせて￥160,000の約束手形を振り出した。

仕入 買掛金	100,000 60,000	支払手形	160,000

問題27　当座勘定照合表からの仕訳　解説 P70

取引銀行のインターネットバンキングサービスから当座勘定照合表（入出金明細）を参照した。８月25日について必要な仕訳を答えなさい。小切手（№106）は８月19日以前に振り出したものである。

X8年9月2日

当座勘定照合表

株式会社国立府中商事　様

東京銀行千代田支店

取引日	摘要	お支払金額	お預り金額	取引残高
8.25	小切手引落（No.106）	100,000		省略
8.25	手形引落（No.550）	600,000		

支払手形	600,000	当座預金	600,000

● 電子記録債権・電子記録債務編

問題28　電子記録債権の発生　解説 P74

島根商事に対する売掛金￥32,000の回収に関して、電子債権記録機関から取引銀行を通じて債権の発生記録の通知を受けた。

電子記録債権	32,000	売掛金	32,000

問題29　電子記録債権の消滅　解説 P74

電子債権記録機関より発生記録の通知を受けていた電子記録債権の支払期日が到来し、当座預金の口座に￥32,000が振り込まれていたが、決算日現在、この取引の記帳はまだ行っていなかった。

当座預金	32,000	電子記録債権	32,000

問題30　電子記録債務の発生　解説 P75

買掛金のうち取引銀行を通じて債務の発生記録を行った電子記録債務￥32,000の振替処理が漏れていることが判明した。

買掛金	32,000	電子記録債務	32,000

問題31　電子記録債務の消滅　解説 P75

取引銀行を通じて債務の発生記録を行った電子記録債務の支払期日が到来し、当座預金の口座から￥32,000が引き落とされていたが、決算日現在、この取引の記帳はまだ行っていなかった。

電子記録債務	32,000	当座預金	32,000

● 費用の支払い編

問題 32　費用の支払い（小口現金）　解説 P82

解説 P82

小口現金係から、次のような支払の報告を受けたため、ただちに小切手を振り出して資金を補給した。なお、当社では、定額資金前渡制度(インプレスト・システム)により、小口現金係から毎週金曜日に一週間の支払報告を受け、これにもとづいて資金を補給している。支払額はすべて費用計上する。

交通費¥3,560　　消耗品費¥2,680　　雑費¥880

旅費交通費 消耗品費 雑費	3,560 2,680 880	当座預金	7,120

問題 33　費用の支払い（租税公課）

解説 P82

建物および土地の固定資産税¥20,000の納付書を受け取り、未払金にすることなく、ただちに現金で納付した。

租税公課	20,000	現金	20,000

問題 34　費用の支払い（旅費交通費）

解説 P83

営業活動で利用する電車およびバスの料金支払用ＩＣカードに現金¥12,000をチャージ(入金)し、領収証の発行を受けた。なお、入金時に全額費用に計上する方法を用いている。

旅費交通費	12,000	現金	12,000

問題35　費用の支払い（広告宣伝費）　解説 P83

広告費用￥14,000を当社の普通預金口座から先方の当座預金口座に振り込んで支払った。なお、振込手数料￥600は先方負担である。

借方科目	金額	貸方科目	金額
広告宣伝費	14,000	普通預金	14,000

問題36　費用の支払い（支払地代）　解説 P84

店舗の駐車場として使用している土地の本月分賃借料￥20,000を当社の普通預金口座から先方の当座預金口座に振り込んで支払った。なお、当方負担の振込手数料￥600も普通預金口座から引き落とされた。

借方科目	金額	貸方科目	金額
支払地代	20,000	普通預金	20,600
支払手数料	600		

問題37　費用の支払い（郵送代金）　解説 P84

買掛金の支払いとして￥100,000の約束手形を振り出し、仕入先に対して郵送した。なお、郵送代金￥500は現金で支払った。

借方科目	金額	貸方科目	金額
買掛金	100,000	支払手形	100,000
通信費	500	現金	500

問題38　従業員が立て替えた費用　解説 P85

従業員が業務のために立て替えた1か月分の諸経費は次のとおりであった。なお、当社では従業員が立て替えた金額は翌月の給料に含めて支払うこととしており、未払金として計上した。

電車代￥4,200　タクシー代￥3,600

書籍代(消耗品費）￥2,400

借方科目	金額	貸方科目	金額
旅費交通費	7,800	未払金	10,200
消耗品費	2,400		

問題39　消耗品の購入　解説P86

事務作業に使用する物品を購入し、品物とともに次の請求書を受け取り、代金は後日支払うこととした。

請求書

株式会社ＮＳ商事　様

平川商会株式会社

品物	数量	単価	金額
コピー用紙（500枚入）	30	600	¥18,000
プリンターインク	8	1,500	¥12,000
カラーペン（20本入）	40	700	¥28,000
送料	–	–	¥ 1,000
	合計		¥59,000

X2年2月27日までに合計額を下記口座へお振込み下さい。
Ｂ銀行平川支店　普通　1234567　ヒラカワシヨウカイ（カ

消耗品費	59,000	未払金	59,000

問題40　領収書による費用の支払い　解説P87

出張旅費を本人が立て替えて支払っていた従業員Ｏ氏が出張から帰社し、下記の領収書を提示したので、当社の普通預金口座から従業員の指定する普通預金口座へ振り込んで精算した。

No.1632
X2年9月7日

領　収　書

株式会社ＮＳ物産　様

¥　83,600

但し　旅客運賃として
上記金額を正に領収いたしました。

銀河鉄道株式会社(公印省略)
サザンクロス駅発行　取扱者かおる子(捺印省略)

旅費交通費	83,600	普通預金	83,600

問題 41　報告書及び領収書による費用の支払い　解説 P88

従業員が出張から戻り、下記の報告書及び領収証を提出したので、本日、全額を費用として処理した。旅費交通費など報告書記載の金額は、その全額を従業員が立替えて支払っており、月末に従業員に支払うことにしている。

なお、電車代は領収書なしでも費用に計上する。

旅費交通費等報告書

矢来清郎

移動先	手段等	領収書	金　額
九条商店	電車	無	12,200 円
ホテル三密	宿泊	有	6,660 円
帰　　社	電車	無	12,200 円
	合　計		31,060 円

領　収　書

ＮＳ商事（株）
矢来清郎 様

金　6,660 円

但し、宿泊料として

ホテル三密

旅費交通費	31,060	未　払　金	31,060

● 決算整理と再振替編

問題 42　切手・印紙の購入　解説 P91

郵便局で、200円の収入印紙80枚と、63円のはがき80枚、84円の切手40枚を購入し、代金は現金で支払った。

租税公課 通信費	16,000 8,400	現金	24,400

問題 43　切手・印紙の決算整理　解説 P91

決算にあたり、商品以外の物品の現状を調査したところ、すでに費用処理されている収入印紙(@￥200) 10枚、はがき(@￥63) 20枚、切手(@￥84) 10枚が未使用であることが判明したため、適切な勘定へ振り替える。

貯蔵品	4,100	租税公課 通信費	2,000 2,100

問題 44　切手・印紙の再振替仕訳　解説 P92

翌期首にあたり、前期末に振り替えた勘定から元の勘定への再振替仕訳を行う。

租税公課 通信費	2,000 2,100	貯蔵品	4,100

問題 45　費用の前払い　解説 P93

当社は毎月28日に翌月分の家賃40,000円を現金で支払っている。

本日(3月31日)、決算となったため、すでに支払った4月分の家賃を前払分として計上する。

前払家賃	40,000	支払家賃	40,000

問題46　収益の前受け　解説 P94

当社は毎月28日に翌月分の家賃40,000円を現金で受け取っている。

本日（3月31日）、決算となったため、すでに受け取った4月分の家賃を前受分として計上する。

受取家賃	40,000	前受家賃	40,000

問題47　費用の未払い　解説 P95

当社は12月1日に、1,200,000円を、期間1年、年利2％で借り入れた。なお、利息は元本の返済時（11月30日）に支払う約束となっている。

本日（3月31日）、決算をむかえたため、利息の未払分を月割りで計上する。

支払利息	8,000	未払利息	8,000

問題48　収益の未収　解説 P96

当社は12月1日に、1,200,000円を、期間1年、年利2％で貸し付けた。なお、利息は元本の回収時（11月30日）に受取る約束となっている。

本日（3月31日）、決算をむかえたため、利息の未収分を月割りで計上する。

未収利息	8,000	受取利息	8,000

● 仮払金・仮受金編

問題 49　仮払金の発生　解説 P102

従業員の出張にあたり、旅費の概算額￥12,000 を現金で支払った。

仮　払　金	12,000	現　　金	12,000

問題 50　仮払金の精算（不足）　解説 P102

従業員の出張旅費の概算額として￥12,000 を支払っていたが、本日、従業員が帰社し出張旅費を精算したところ、概算額よりも￥1,600 多くかかり、従業員が立替えていたことが判明したため、この不足額を現金で支払った。

旅費交通費	13,600	仮　払　金 現　　金	12,000 1,600

問題 51　仮受金の発生　解説 P103

出張中の従業員から、当座預金口座へ￥39,200 の振込みがあったが、その詳細は不明である。

当座預金	39,200	仮　受　金	39,200

問題 52　仮受金の原因判明　解説 P103

出張中の従業員から当座預金口座に振り込まれ、仮受金として処理していた￥39,200 は、得意先福島商店から注文を受けたさいに受領した手付金￥12,000 と、得意先群馬商店から回収した売掛代金￥27,200 であることが判明した。

仮　受　金	39,200	前　受　金 売　掛　金	12,000 27,200

● 法人税等の処理編

問題 53　法人税等（中間納付）　解説 P105

中間申告を行い、法人税￥40,000、住民税￥10,000および事業税￥12,000を現金で納付した。

仮払法人税等	62,000	現　　金	62,000

4

問題 54　法人税等（決算時）　解説 P106

決算にあたり、当期の法人税￥100,000、住民税￥20,000、事業税￥28,000を見積もった。なお、中間申告の際に、￥62,000を現金で納付している。

法人税、住民税及び事業税	148,000	仮払法人税等 未払法人税等	62,000 86,000

問題 55　法人税等① 中間納付時　解説 P107

以下の納付書にもとづき、当社の普通預金口座から法人税等を振り込んだ。

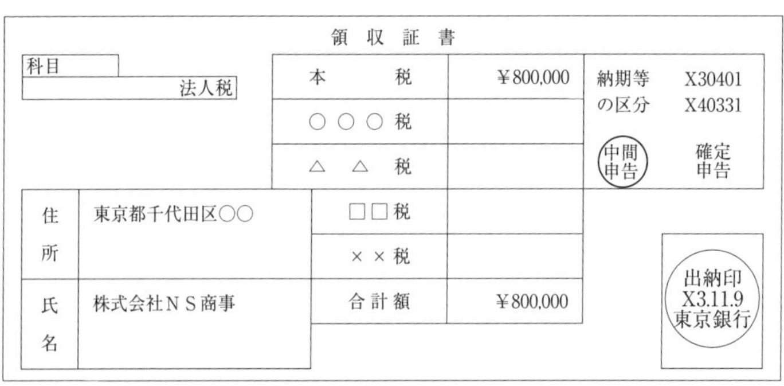

領　収　証　書

科目	法人税

本　　税	￥800,000
○○○税	
△△税	
□□税	
××税	
合計額	￥800,000

納期等の区分	X30401 X40331
中間申告（○）	確定申告

住所	東京都千代田区○○
氏名	株式会社ＮＳ商事

出納印
X3.11.9
東京銀行

仮払法人税等	800,000	普　通　預　金	800,000

問題56　法人税等②　納付時　解説 P108

以下の納付書にもとづき、当社の普通預金口座から法人税等を振り込んだ。

領　収　証　書

科目	法人税

本　税	¥900,000
○ ○ ○ 税	
△ △ 税	
□□税	
× × 税	
合 計 額	¥900,000

納期等の区分	X30401 X40331
中間申告	確定申告（○）

住所	東京都千代田区○○
氏名	株式会社ＮＳ商事

出納印
X4.5.30
東京銀行

未払法人税等	900,000	普通預金	900,000

● 消費税の処理（税抜方式）編

問題57　消費税の処理（仕入時） 解説 P110

商品（本体価格￥140,000）を仕入れ、代金は10％の消費税を含めて掛けとした。なお、消費税については税抜方式で記帳する。

仕　　　　入 仮 払 消 費 税	140,000 14,000	買　掛　金	154,000

問題58　消費税の処理（売上時） 解説 P111

商品（本体価格￥200,000）を売り上げ、代金は10％の消費税を含めて掛けとした。なお、消費税については税抜方式で記帳する。

売　掛　金	220,000	売　　　　上 仮 受 消 費 税	200,000 20,000

問題59　消費税の処理（決算時） 解説 P112

決算にあたり、商品売買取引に係る消費税の納付額を計算し、これを確定した。

なお、消費税の仮払分は￥14,000、仮受分は￥20,000であり、消費税の記帳方法として税抜方式を採用している。

仮 受 消 費 税	20,000	仮 払 消 費 税 未 払 消 費 税	14,000 6,000

問題 60　消費税の処理（納付時）　**解説 P113**

以下の納付書にもとづき、当社の普通預金口座から消費税を振り込んだ。

領　収　証　書

科目	消費税及び地方消費税
住所	東京都千代田区○○
氏名	株式会社ＮＳ商事

本　　税	¥6,000
○ ○ ○ 税	
△　△　税	
□□税	
× × 税	
合 計 額	¥6,000

納期等の区分	X30401 X40331
中間申告	確定申告（○印）

出納印
X4.5.30
東京銀行

未払消費税	6,000	普通預金	6,000

● 給料の支払い編

問題 61　給料の支払い　解説 P116

従業員への給料の支払いにあたり、給料総額￥140,000のうち、本人負担の社会保険料￥8,000と、所得税の源泉徴収分￥5,600を差し引き、残額を現金で支払った。

給　　料	140,000	社会保険料預り金 所得税預り金 現　　金	8,000 5,600 126,400

問題 62　源泉所得税預り金の支払い　解説 P117

所轄税務署より納期の特例承認を受けている源泉徴収所得税の納付として1月から6月までの合計税額￥5,600を、納付書とともに銀行において現金で納付した。

所得税預り金	5,600	現　　金	5,600

問題 63　社会保険料預り金の支払い　解説 P117

給料の支払時に差し引いていた社会保険料￥8,000と同額の会社負担分を計上するとともに、それを銀行において現金で納付した。

社会保険料預り金 法定福利費	8,000 8,000	現　　金	16,000

4

問題64　入出金明細からの仕訳　解説P118

取引銀行のインターネットバンキングサービスから普通預金口座のＷＥＢ通帳(入出金明細)を参照した。３月20日において必要な仕訳を答えなさい。

入出金明細

日付	内容	出金金額	入金金額	取引残高
3.20	給与振込	1,784,000		省略
3.20	振込手数料	2,000		

３月20日の給与振込額は、所得税の源泉徴収額￥140,000を差し引いた額である。

給料	1,924,000	普通預金	1,786,000
支払手数料	2,000	所得税預り金	140,000

● 現金過不足編

問題 65　現金過不足（発生時）　解説 P121

月末に現金の実査を行ったところ、現金の実際有高が帳簿残高より￥8,400不足であることが判明したため、帳簿残高と実際有高とを一致させる処理を行うとともに、引き続き原因を調査することとした。なお、当社では、現金過不足の雑益または雑損勘定への振り替えは決算時に行うこととしている。

現金過不足	8,400	現　　　金	8,400

問題 66　現金過不足（判明時）　解説 P122

現金の実際有高が帳簿残高より不足していたため現金過不足勘定で処理していたが、本日、旅費交通費￥2,720が記入漏れとなっていたことが判明した。

旅費交通費	2,720	現金過不足	2,720

問題 67　現金過不足（決算時）　解説 P123

決算日において、現金過不足(不足額) ￥5,680の原因をあらためて調査した結果、通信費￥7,200の支払い、および手数料の受取額￥2,400の記入もれが判明した。残りの金額は原因が不明であったので、適切な処理を行う。

通　信　費	7,200	現金過不足	5,680
雑　　　損	880	受取手数料	2,400

● 会社の設立と利益処分編

問題 68　株式の発行（会社の設立）　解説 P130

NS商事株式会社の会社設立にあたり、株式10株を1株あたり¥100,000で発行し、出資者からの払込みを受け、同額を普通預金口座に預け入れた。なお、発行価額の全額を資本金として処理する。

普　通　預　金	1,000,000	資　本　金	1,000,000

問題 69　保証金の支払い　解説 P131

事務所の賃借契約を行い、下記の振込依頼書通りに当社普通預金口座から振り込み、賃借を開始した。仲介手数料は費用として処理すること。

振込依頼書

株式会社ＮＳ商事　御中

株式会社山野不動産

ご契約ありがとうございます。以下の金額を下記口座へお振込ください。

品　物	金額
仲介手数料	¥12,000
敷金	¥48,000
初月賃料	¥24,000
合計	¥84,000

東京銀行千代田支店　当座　1628951　カ）ヤマノフドウサン

支 払 手 数 料 差 入 保 証 金 支 払 家 賃	12,000 48,000 24,000	普　通　預　金	84,000

問題 70　純利益の繰越利益剰余金への振替　解説 P132

決算にさいし、損益勘定を作成し、その記録によると、当期の収益総額は￥800,000で費用総額は￥600,000であった。この差額である当期の純利益を繰越利益剰余金勘定へ振り替える。

損　　　益	200,000	繰越利益剰余金	200,000

問題 71　株主総会での利益処分　解説 P134

6月25日、株主総会で、繰越利益剰余金￥200,000の一部を次のとおり処分することが承認された。

株主配当金：￥140,000

利益準備金の積立て：￥14,000

繰越利益剰余金	154,000	未 払 配 当 金 利 益 準 備 金	140,000 14,000

● 固定資産編

問題72　固定資産（土地）の購入　解説 P137

出店用の土地165㎡を１㎡あたり￥80で購入し、購入手数料￥400を含む代金の全額を後日支払うこととした。また、この土地の整地費用￥200を現金で支払った。

土地	13,800	未払金 現金	13,600 200

問題73　固定資産（土地）の売却　解説 P138

以前に購入していた土地（帳簿価額￥13,800）を￥14,200で売却し、代金は後日受け取ることにした。

未収入金	14,200	土地 固定資産売却益	13,800 400

問題74　固定資産等の購入　解説 P139

×３年４月４日、新入社員向け事務処理用パソコン５台（@￥26,400）と事務用文房具￥20,000を購入し、代金は月末に支払うこととした。また、パソコンのセッティング費用￥12,000については現金で支払った。なお、当社では文房具については支払額の全額を当期の費用として処理する方法をとっている。

備品 消耗品費	144,000 20,000	未払金 現金	152,000 12,000

問題75　領収書からの固定資産の購入の仕訳　解説 P140

×3年12月1日に事務所として使用する建物を購入し、次の領収書を受け取った。なお、代金はすでに支払い済みであり、仮払金勘定で処理してある。

領収書

株式会社ＮＳ商事　様

山野不動産株式会社

品　物	数量	単価	金額
事務所建物	1	1,600,000	¥1,600,000
手数料	－	－	¥　80,000
登記料	－	－	¥　20,000
	合計		¥1,700,000

上記の合計額を領収いたしました。

収入印紙　円　㊞

建　物	1,700,000	仮　払　金	1,700,000

問題76　固定資産の減価償却　解説 P141

決算において、×３年４月４日に購入した備品(取得原価¥144,000、残存価額ゼロ、耐用年数６年)と、×３年12月１日に購入した建物(取得原価¥1,700,000、耐用年数30年、残存価額は取得原価の10%)の減価償却を定額法で行う。なお、決算日は×４年３月31日とする。

減価償却費	41,000	備品減価償却累計額 建物減価償却累計額	24,000 17,000

5

問題77　固定資産の修繕　解説 P142

建物の改築と修繕を行い、代金¥40,000を普通預金口座から支払った。うち建物の資産価値を高める支出額（資本的支出）は¥32,000であり、建物の現状を維持するための支出額（収益的支出）は¥8,000である。

建　　　　物	32,000	普　通　預　金	40,000
修　繕　費	8,000		

問題78　固定資産の売却　解説 P143

×3年4月4日に購入した備品（取得原価¥144,000、残存価額ゼロ、耐用年数6年、定額法で計算、間接法）が不用になったので、本日（×7年6月30日）¥32,000で売却し、代金は翌月末に受け取ることにした。

なお、決算日は3月31日とし、減価償却費は月割りで計算する。

備品減価償却累計額	96,000	備　　　　品	144,000
減価償却費	6,000		
未　収　入　金	32,000		
固定資産売却損	10,000		

● 貸倒れ編

問題 79　貸倒引当金の繰入　解説 P146

売上債権(受取手形、電子記録債権、売掛金)の残高に対して２％の貸倒引当金を差額補充法で設定する。

残高試算表

受取手形	320,000	貸倒引当金	2,000
電子記録債権	180,000		
売掛金	400,000		

貸倒引当金繰入	16,000	貸倒引当金	16,000

問題 80　貸倒れ　解説 P147

得意先が倒産し、前年度の商品売上にかかわる売掛金¥12,000が回収できなくなったので、貸倒れの処理を行う。なお、貸倒引当金の残高は¥10,000である。

貸倒引当金 貸倒損失	10,000 2,000	売掛金	12,000

問題 81　償却債権取立益　解説 P148

前期に貸倒れとして処理していた長野商店に対する売掛金¥36,000のうち、¥28,000が回収され、普通預金の口座に振り込まれた。なお、貸倒引当金勘定には¥12,000の残高がある。

普通預金	28,000	償却債権取立益	28,000

5

● 売上原価編

問題 82　売上原価の算定　解説 P151

決算となり、棚卸を行ったところ、期末商品の金額は40,000円であった。売上原価を算定するための仕訳を示しなさい。

残高試算表			
繰越商品	20,000	売上	480,000
仕入	180,000		

仕入	20,000	繰越商品	20,000
繰越商品	40,000	仕入	40,000

● 仕訳の訂正編

問題 83　仕訳の訂正　解説 P153

商品75,000円を掛けで売り上げたさいに、金額を誤って57,000円と処理し、さらに売掛金勘定を未収入金勘定で処理してしまっていた。

訂正するための仕訳を示しなさい。

売掛金	75,000	未収入金	57,000
		売上	18,000

復　習

3週間後

● 通常の商品売買編

問題1　手付金の支払い　解説 P30

静岡商店に対して商品￥120,000を注文し、手付金として商品代金の20%を小切手を振り出して渡した。

前払金	24,000	当座預金	24,000

問題2　手付金の受取り　解説 P31

出張中の従業員から当座預金口座への入金￥34,000があり、得意先京都商店から注文を受けたさいに受領した手付金との連絡を受けた。

当座預金	34,000	前受金	34,000

問題3　商品の仕入れ　解説 P32

愛知商店から商品￥40,000を仕入れ、代金のうち￥17,200は同商店にあらかじめ支払っていた手付金を充当し、残額は小切手を振り出して支払った。商品売買の記帳は3分法によるものとする。

仕入	40,000	前払金	17,200
		当座預金	22,800

問題4　商品の売上げ　解説 P34

得意先岩手商店へ商品￥80,000に発送運賃￥4,000を加えて売り渡し、合計額のうち￥20,000は手付金と相殺し、残額については得意先振出の小切手で受け取った。なお、発送費￥4,000については小切手を振り出して支払った。

前受金 現金 発送費	20,000 64,000 4,000	売上 当座預金	84,000 4,000

問題5　商品の返品（返品した）　解説 P36

福井商店から掛けで仕入れていた商品30個（@￥2,000）のうち、3個が破損していたため返品した。商品売買の記帳は3分法によるものとする。

買掛金	6,000	仕入	6,000

問題6　商品の返品（返品された）　解説 P37

得意先に販売した商品のうち60個（@￥480）が品違いのため返品され、掛け代金から差し引くこととした。商品売買の記帳は3分法によるものとする。

売上	28,800	売掛金	28,800

1

問題7	掛代金の支払い	解説 P38

仕入先に対する先月締めの掛代金の支払いとして¥80,000を普通預金口座から振り込んだ。なお、振込手数料¥400は先方負担である。

買　掛　金	80,000	普　通　預　金	80,000

問題8	掛代金の受取り	解説 P39

得意先から先月締めの掛代金¥80,000の回収として、振込手数料¥400（当社負担）を差し引かれた残額が当社の普通預金口座に振り込まれた。

普　通　預　金 支　払　手　数　料	79,600 400	売　掛　金	80,000

問題9	買掛金と売掛金の相殺	解説 P40

本日、当座預金の状況を調べたところ、B商店に対する、売掛金¥600,000と買掛金¥150,000とが相殺され、差額が入金されていたことが判明した。

買　掛　金 当　座　預　金	150,000 450,000	売　掛　金	600,000

問題10	売掛金と買掛金の相殺	解説 P41

当社は盛岡商店に対して買掛金¥600,000および売掛金¥150,000を有している。本日、買掛金の決済にさいして盛岡商店の承諾を得て売掛金と買掛金を相殺し、差額¥450,000を現金で支払った。

買　掛　金	600,000	売　掛　金 現　　　金	150,000 450,000

● 証ひょうからの仕訳編

問題 11　請求書（控）からの仕訳　解説 P42

NS商事は、青葉商店に対する１か月分の売上(月末締め、翌月20日払い)を集計して次の請求書の原本を発送した。なお、青葉商店に対する売上は商品発送時ではなく１か月分をまとめて仕訳を行うこととしているため、適切に処理を行う。

請求書(控)

青葉商店　御中

株式会社ＮＳ商事

品物	数量	単価	金額
ボールペン	500	180	¥ 90,000
付箋セット	650	250	¥162,500
封筒セット	300	500	¥150,000
	合計		¥402,500

X8年6月20日までに合計額を下記口座へお振込み下さい。
東京銀行千代田支店　普通　1365932　カ）エヌエスシヨウジ

売掛金	402,500	売上	402,500

問題 12　請求書からの仕訳　解説 P43

青葉商店は、ＮＳ商事より１か月分の仕入代金(月末締め翌月20日払い)の請求書を受け取った。なお、ＮＳ商事からの仕入は商品仕入時ではなく、１か月分をまとめて仕訳を行うこととしているため、適切に処理を行う。

請求書

青葉商店　御中

株式会社ＮＳ商事

品　物	数量	単価	金額
ボールペン	500	180	¥90,000
付箋セット	650	250	¥162,500
封筒セット	300	500	¥150,000
	合計		¥402,500

X8年6月20日までに合計額を下記口座へお振込み下さい。
東京銀行千代田支店　普通　1365932　カ）エヌエスシヨウジ

仕入	402,500	買掛金	402,500

問題 13　入出金明細からの仕訳①　解説 P44

取引銀行のインターネットバンキングサービスから普通預金口座のＷＥＢ通帳(入出金明細)を参照した。３月８日において必要な仕訳を答えなさい。なお、株式会社徳島食品は当社の商品の取引先であり、商品売買取引はすべて掛けとしている。

入出金明細

日付	内容	出金金額	入金金額	取引残高
3.8	振込　カ）トクシマショクヒン	450,000		省略

買　掛　金	450,000	普　通　預　金	450,000

問題 14　入出金明細からの仕訳②　解説 P45

取引銀行のインターネットバンキングサービスから普通預金口座のＷＥＢ通帳(入出金明細)を参照した。３月22日において必要な仕訳を答えなさい。なお、前橋株式会社は当社の商品の取引先であり、商品売買取引はすべて掛けとしている。

入出金明細

日付	内容	出金金額	入金金額	取引残高
3.22	振込　マエバシ（カ		639,500	省略

３月22日の入金は、当社負担の振込手数料￥500が差し引かれたものである。

普　通　預　金	639,500	売　掛　金	640,000
支　払　手　数　料	500		

● 伝票からの仕訳編

問題15　伝票からの仕訳①　解説 P46

商品10,000円を仕入れ、代金のうち2,000円を現金で支払い、残額を掛けとしたとき、出金伝票を次のように作成した。

この取引の振替伝票に記入される仕訳を答えなさい。

出金伝票	
仕　入	2,000

仕　　入	8,000	買　掛　金	8,000

問題16　伝票からの仕訳②　解説 P47

商品10,000円を仕入れ、代金のうち2,000円を現金で支払い、残額を掛けとしたとき、出金伝票を次のように作成した。

この取引の振替伝票に記入される仕訳を答えなさい。

出金伝票	
買掛金	2,000

仕　　入	10,000	買　掛　金	10,000

● 商品券による販売編

問題 17　受取商品券　解説 P49

岡山百貨店は商品￥4,800を売り渡し、代金のうち￥4,000は他店発行の全国百貨店共通商品券で受け取り、残額は現金で受け取った。なお、商品売買の記帳は３分法によるものとする。

受取商品券 現金	4,000 800	売上	4,800

● クレジットカードによる販売編

問題 18　クレジット売掛金　解説 P51

クレジット払いの条件で商品￥400,000を販売するとともに、信販会社（カード会社）へのクレジット手数料￥20,000を計上した。

クレジット売掛金 支払手数料	380,000 20,000	売上	400,000

● 債権と債務編

問題 19　手形貸付金（貸付時）　解説 P60

兵庫商店に資金￥120,000を貸し付け、同額の約束手形を受け取り、同日中に当社の普通預金より兵庫商店の当座預金口座に振り込んだ。なお、利息￥3,000は返済時に受け取ることとした。

借方科目	金額	貸方科目	金額
手形貸付金	120,000	普通預金	120,000

問題 20　手形借入金（借入時）　解説 P61

約束手形を振り出して￥100,000を借り入れ、その全額を現金で受け取った。なお、利息￥2,500は返済時に支払うこととした。

借方科目	金額	貸方科目	金額
現金	100,000	手形借入金	100,000

問題 21　貸付金（回収時）　解説 P62

鳥取商店に対する貸付金￥200,000を、１年分の利息とともに、同店振出しの小切手で回収した。なお、利息は年利２％である。

借方科目	金額	貸方科目	金額
現金	204,000	貸付金	200,000
		受取利息	4,000

問題 22　借入金（返済時）　解説 P63

取引銀行から借入期間50日、年利率2.19％として￥200,000を借り入れていたが、支払期日が到来したため、元利合計を当座預金から返済した。なお、利息は１年を365日として日割計算する。

借方科目	金額	貸方科目	金額
借入金	200,000	当座預金	200,600
支払利息	600		

問題 23　当座勘定照合表からの仕訳　解説 P64

取引銀行のインターネットバンキングサービスから当座勘定照合表(入出金明細)を参照した。７月20日について必要な仕訳を答えなさい。

X10年８月２日

当座勘定照合表

株式会社ＮＳ物産　様

東京銀行神田支店

取引日	摘要	お支払金額	お預り金額	取引残高
7.20	融資ご返済	1,500,000		省略
7.20	融資お利息	12,000		

借入金 支払利息	1,500,000 12,000	当座預金	1,512,000

問題 24　役員貸付金　解説 P65

６月１日に、当社の常務取締役Ｙ氏に対する貸付けとして現金¥2,400,000を支払った。ただし、その重要性を考慮して貸付金勘定ではなく、役員貸付けであることを明示する勘定を用いることとした。なお、貸付期間は最長６か月、利率は年利３％で利息は１年を365日として日割計算し、返済時に元金とともに受け取る条件となっている。

役員貸付金	2,400,000	現金	2,400,000

● 受取手形・支払手形編

問題 25　約束手形の受け取り（受取手形）　解説 P68

ＡＢ商事は、ＣＤ商店に商品￥420,000を販売した。販売代金については、さきに同店に対して掛けで販売したさいの商品代金￥300,000と合わせて、￥720,000の約束手形を受け取った。

受　取　手　形	720,000	売　　　　　上 売　　掛　　金	420,000 300,000

問題 26　約束手形の振り出し（支払手形）　解説 P69

ＣＤ商店は、ＡＢ商事より商品￥420,000を購入した。仕入代金については、さきに同社より掛けで仕入れたさいの商品代金￥300,000と合わせて、￥720,000の約束手形を振り出した。

仕　　　　　入 買　　掛　　金	420,000 300,000	支　払　手　形	720,000

問題 27　当座勘定照合表からの仕訳　解説 P70

取引銀行のインターネットバンキングサービスから当座勘定照合表(入出金明細)を参照した。９月25日について必要な仕訳を答えなさい。小切手(№110)は９月19日以前に振り出したものである。

X10年10月２日

当座勘定照合表

株式会社ＮＳ産業　様

東京銀行神田支店

取引日	摘要	お支払金額	お預り金額	取引残高
9.25	手形引落（No.575）	480,000		省略
9.25	小切手引落（No.110）	250,000		

支　払　手　形	480,000	当　座　預　金	480,000

電子記録債権・電子記録債務編

問題 28　電子記録債権の発生　解説 P74

茨城商事に対する売掛金¥45,000の回収に関して、電子債権記録機関から取引銀行を通じて債権の発生記録の通知を受けていたが、決算日現在、この取引の記帳はまだ行っていなかった。

電子記録債権	45,000	売掛金	45,000

問題 29　電子記録債権の消滅　解説 P74

電子債権記録機関より発生記録の通知を受けていた電子記録債権の支払期日が到来し、当座預金口座に¥48,000が振り込まれた。

当座預金	48,000	電子記録債権	48,000

問題 30　電子記録債務の発生　解説 P75

福島商事に対する買掛金のうち¥38,000について取引銀行を通じて債務の発生記録を行った。

買掛金	38,000	電子記録債務	38,000

問題 31　電子記録債務の消滅　解説 P75

取引銀行を通じて債務の発生記録を行った電子記録債務の支払期日が到来し、当座預金口座から¥43,000が引き落とされた。

電子記録債務	43,000	当座預金	43,000

費用の支払い編

問題32　費用の支払い（小口現金）　解説 P82

小口現金係から、次のとおり１週間分の支払報告を受け、支払額と同額の小切手を振り出した。

電車代￥1,200、文房具代￥1,600、切手代￥2,300、茶菓代￥1,500

旅費交通費	1,200	当座預金	6,600
消耗品費	1,600		
通信費	2,300		
雑費	1,500		

問題33　費用の支払い（租税公課）　解説 P82

建物および土地の固定資産税￥50,000の納付書を受け取り、一旦全額を未払金に計上した。

租税公課	50,000	未払金	50,000

問題34　費用の支払い（旅費交通費）　解説 P83

従業員が、営業活動で事業用のＩＣカードから電車およびバスの運賃￥2,000を支払った。なお、ＩＣカードのチャージ（入金）については、チャージ時に仮払金勘定で処理している。

旅費交通費	2,000	仮払金	2,000

3

問題35　費用の支払い（広告宣伝費）　解説P83

広告費用￥45,000を当社の普通預金口座から先方の当座預金口座に振り込んで支払った。なお、当方負担の振込手数料￥500も普通預金口座から引き落とされた。

広告宣伝費 支払手数料	45,000 500	普通預金	45,500

問題36　費用の支払い（支払地代）　解説P84

店舗の駐車場として使用している土地の本月分賃借料￥50,000を当社の普通預金口座から先方の当座預金口座に振り込んで支払った。なお、振込手数料￥500は先方負担である。

支払地代	50,000	普通預金	50,000

問題37　費用の支払い（郵送代金）　解説P84

買掛金の支払いのために￥120,000の約束手形を振り出し、仕入先に対して郵送した。なお、郵送代金￥500は現金で支払った。

買掛金 通信費	120,000 500	支払手形 現金	120,000 500

問題38　従業員が立て替えた費用　解説P85

従業員が業務のために立て替えた1か月分の諸経費は次のとおりであった。本日、従業員が立て替えた金額を現金で支払い精算した。

電車代￥5,100　タクシー代￥4,800

書籍代（消耗品費）￥1,500

旅費交通費 消耗品費	9,900 1,500	現金	11,400

問題39　消耗品の購入　解説 P86

事務作業に使用する物品を購入し、品物とともに次の請求書を受け取り、代金を普通預金口座より振り込んだ。

請求書

株式会社ＮＳ商事　様

平川商会株式会社

品物	数量	単価	金額
コピー用紙（500 枚入）	15	700	￥10,500
プリンターインク	4	1,800	￥ 7,200
カラーペン（20 本入）	20	800	￥16,000
送料	−	−	￥ 500
	合計		￥34,200

X2 年 2 月 27 日までに合計額を下記口座へお振込み下さい。
Ｂ銀行平川支店　普通　1234567　ヒラカワシヨウカイ（カ

消耗品費	34,200	普通預金	34,200

問題40　領収書による費用の支払い　解説 P87

出張旅費を本人が立て替えて支払っていた従業員Ｏ氏が出張から帰社し、下記の領収書を提示したので、当社の当座預金口座から従業員の指定する普通預金口座へ振り込んで精算した。

No.1632
X2年 9 月 7 日

領　収　書

株式会社ＮＳ物産　様

￥　104,500

但し　旅客運賃として
上記金額を正に領収いたしました。

銀河鉄道株式会社（公印省略）
サザンクロス駅発行　取扱者かおる子（捺印省略）

旅費交通費	104,500	当座預金	104,500

問題41　報告書及び領収書による費用の支払い　解説 P88

従業員が出張から戻り、下記の報告書及び領収証を提出したので、本日、全額を費用として処理し、従業員に現金で支払った。

なお、電車代は領収書なしでも費用に計上する。

旅費交通費等報告書

矢来清郎

移動先	手段等	領収書	金　額
八条商店	電車	無	7,200 円
ホテル四密	宿泊	有	4,440 円
帰　社	電車	無	7,200 円
	合　計		18,840 円

領　収　書

ＮＳ商事（株）

矢来清郎 様

金　4,440 円

但し、宿泊料として

ホテル四密

旅費交通費	18,840	現　金	18,840

● 決算整理と再振替編

問題 42　切手・印紙の購入　解説 P91

郵便局で、200円の収入印紙50枚と、63円のはがき30枚、84円の切手50枚を購入し、代金は現金で支払った。

借方科目	金額	貸方科目	金額
租税公課 通信費	10,000 6,090	現金	16,090

問題 43　切手・印紙の決算整理　解説 P91

決算にあたり調査したところ、収入印紙(@￥200) 3 枚、はがき(@￥63) 10枚および切手(@￥84) 20枚が未使用であることが判明した。いずれも購入時に費用処理されているため、適切な勘定へ振り替えるものとする。

借方科目	金額	貸方科目	金額
貯蔵品	2,910	租税公課 通信費	600 2,310

問題 44　切手・印紙の再振替仕訳　解説 P92

翌期首にあたり、前期末、上記問題43のとおりに振り替えた勘定から元の勘定への再振替仕訳を行う。

借方科目	金額	貸方科目	金額
租税公課 通信費	600 2,310	貯蔵品	2,910

問題 45　費用の前払い　解説 P93

当社は2月1日に向こう3か月分の家賃180,000円を現金で支払っている。

本日(3月31日)、決算となったため、すでに支払った4月分の家賃を前払分として計上する。

借方科目	金額	貸方科目	金額
前払家賃	60,000	支払家賃	60,000

問題 46　収益の前受け　解説 P94

当社は2月1日に向こう3か月分の家賃180,000円を現金で受け取っている。

本日（3月31日）、決算となったため、すでに受け取った4月分の家賃を前受分として計上する。

受　取　家　賃	60,000	前　受　家　賃	60,000

問題 47　費用の未払い　解説 P95

当社は2月1日に、600,000円を、期間1年、年利2％で借り入れた。なお、利息は元本の返済時（1月31日）に支払う約束となっている。

本日（3月31日）、決算をむかえたため、利息の未払分を月割りで計上する。

支　払　利　息	2,000	未　払　利　息	2,000

問題 48　収益の未収　解説 P96

当社は2月1日に、600,000円を、期間1年、年利2％で貸し付けた。なお、利息は元本の回収時（1月31日）に受取る約束となっている。

本日（3月31日）、決算をむかえたため、利息の未収分を月割りで計上する。

未　収　利　息	2,000	受　取　利　息	2,000

● 仮払金・仮受金編

問題 49　仮払金の発生　解説 P102

従業員の出張旅費の概算額として￥20,000を現金で支払った。

借方科目	金額	貸方科目	金額
仮払金	20,000	現金	20,000

問題 50　仮払金の精算（不足）　解説 P102

従業員の出張旅費の概算額として￥10,000を支払っていたが、本日、従業員が帰社し出張旅費を精算したところ、概算額よりも￥1,200多くかかり、従業員が立替えていた。この不足額は後日、従業員の銀行口座に振り込み、支払うことにした。

借方科目	金額	貸方科目	金額
旅費交通費	11,200	仮払金 未払金	10,000 1,200

問題 51　仮受金の発生　解説 P103

得意先和歌山商店から￥100,000が普通預金口座に振り込まれたが、その内容は現時点で不明である。

借方科目	金額	貸方科目	金額
普通預金	100,000	仮受金	100,000

問題 52　仮受金の原因判明　解説 P103

取引先大阪商会より、当座預金口座に￥92,000の入金があり、内容不明の入金として処理をしていた。本日、売掛金の回収￥80,000と、残額は商品￥150,000の受注に対する手付金であることが判明した。

借方科目	金額	貸方科目	金額
仮受金	92,000	売掛金 前受金	80,000 12,000

● 法人税等の処理編

問題53　法人税等（中間納付）　解説 P105

11月30日に中間申告を行い、法人税¥60,000、住民税¥15,000および事業税¥18,000を現金で納付した。

仮払法人税等	93,000	現　　　金	93,000

問題54　法人税等（決算時）　解説 P106

決算にあたって、税引前当期純利益¥35,000の30%を法人税、住民税及び事業税に計上した。なお、¥4,800については、すでに中間納付をしている。

法人税、住民税及び事業税	10,500	仮払法人税等 未払法人税等	4,800 5,700

問題55　法人税等① 中間納付時　解説 P107

以下の納付書にもとづき、当社の当座預金口座から法人税等を振り込んだ。

領　収　証　書

科目	法人税
住所	東京都千代田区○○
氏名	株式会社ＮＳ商事

本　　税	¥1,600,000
○○○税	
△△税	
□□税	
××税	
合計額	¥1,600,000

納期等の区分	X30401 X40331
中間申告（○印）	確定申告

出納印 X3.11.9 東京銀行

仮払法人税等	1,600,000	当座預金	1,600,000

問題56　法人税等② 納付時　解説 P108

以下の納付書にもとづき、当社の当座預金口座から法人税等を振り込んだ。

領　収　証　書

科目	法人税			
	本　　税	¥1,200,000	納期等の区分	X30401 X40331
	○ ○ ○ 税		中間申告	確定申告
	△　△　税			
住所	東京都千代田区○○	□□税		
		××税		出納印 X4.5.30 東京銀行
氏名	株式会社ＮＳ商事	合計額	¥1,200,000	

未払法人税等	1,200,000	当座預金	1,200,000

● 消費税の処理(税抜方式)編

問題 57　消費税の処理（仕入時）　解説 P110

商品(本体価格￥20,000)を仕入れ、10%の消費税を含めて代金は翌月に支払うこととした。なお、消費税については税抜方式で記帳する。

借方科目	金額	貸方科目	金額
仕入 仮払消費税	20,000 2,000	買掛金	22,000

問題 58　消費税の処理（売上時）　解説 P111

商品(本体価格￥20,000)を得意先山形商店に売り渡し、代金は10%の消費税とともに今月末に受け取ることとした。なお、消費税については税抜方式で記帳する。

借方科目	金額	貸方科目	金額
売掛金	22,000	売上 仮受消費税	20,000 2,000

問題 59　消費税の処理（決算時）　解説 P112

決算を行い、納付すべき消費税の額を算定した。なお、本年度の消費税の仮払分は￥14,400、仮受分は￥33,200であり、消費税の記帳は税抜方式により行っている。

借方科目	金額	貸方科目	金額
仮受消費税	33,200	仮払消費税 未払消費税	14,400 18,800

問題60 消費税の処理（納付時） 解説P113

以下の納付書にもとづき、小切手を振り出して消費税を納付した。

領収証書

科目	消費税及び地方消費税

本税	¥12,000
○○○税	
△△税	
□□税	
××税	
合計額	¥12,000

納期等の区分	X30401 X40331
中間申告	確定申告（丸印）

住所	東京都千代田区○○
氏名	株式会社ＮＳ商事

出納印 X4.5.30 東京銀行

未払消費税	12,000	当座預金	12,000

4

● 給料の支払い編

問題61　給料の支払い　解説 P116

当月分の従業員給料総額¥1,500,000から社会保険料¥142,500、および所得税¥63,000を控除した残額を現金で支払った。

給　　料	1,500,000	社会保険料預り金 所得税預り金 現　　金	142,500 63,000 1,294,500

問題62　源泉所得税預り金の支払い　解説 P117

従業員5名の給料から源泉徴収していた1月から6月までの所得税合計額¥83,200を、銀行において納付書とともに現金で納付した。ただし、この納付方法については所轄税務署より納期の特例を承認されている。

所得税預り金	83,200	現　　金	83,200

問題63　社会保険料預り金の支払い　解説 P117

従業員の給料から差し引いていた社会保険料¥12,000と同額の会社負担分を計上するとともに、普通預金口座から納付した。

社会保険料預り金 法定福利費	12,000 12,000	普通預金	24,000

問題64 入出金明細からの仕訳 解説P118

取引銀行のインターネットバンキングサービスから普通預金口座のＷＥＢ通帳(入出金明細)を参照した。４月25日において必要な仕訳を答えなさい。

入出金明細

日付	内容	出金金額	入金金額	取引残高
4.25	給与振込	962,000		省略
4.25	振込手数料	1,000		

４月25日の給与振込額は、所得税の源泉徴収額￥72,000を差し引いた額である。

給料	1,034,000	普通預金	963,000
支払手数料	1,000	所得税預り金	72,000

● 現金過不足編

問題65　現金過不足（発生時）　解説P121

月末に金庫を実査したところ、紙幣￥40,000、硬貨￥2,500、得意先振出しの小切手￥4,000、約束手形￥8,000、郵便切手￥400が保管されていたが、現金出納帳の残高は￥47,000であった。不一致の原因を調べたが原因は判明しなかったので、現金過不足勘定で処理することにした。

借方科目	金額	貸方科目	金額
現金過不足	500	現金	500

問題66　現金過不足（判明時）　解説P122

現金の実際有高が帳簿残高より不足していたため現金過不足勘定で処理していたが、本日、水道光熱費￥2,000が記入漏れとなっていたことが判明した。

借方科目	金額	貸方科目	金額
水道光熱費	2,000	現金過不足	2,000

問題67　現金過不足（決算時）　解説P123

決算にあたり、現金の手許有高を調べたところ、帳簿残高は￥112,000であるのに対して、実際有高は￥110,000であった。この現金過不足のうち￥1,320は、従業員個人が負担すべき交通費を会社の現金で肩代わりして支払った取引が未記帳であったためであると判明したが、残りの現金過不足の原因は不明である。

借方科目	金額	貸方科目	金額
従業員立替金 雑損	1,320 680	現金	2,000

● 会社の設立と利益処分編

問題 68　株式の発行（会社の設立）　解説 P130

K商事株式会社の会社設立にあたり、株式250株を1株あたり¥5,000で発行した。出資者からの払込金額は普通預金口座に預け入れた。なお、発行価額はすべて資本金に計上するものとする。

普通預金	1,250,000	資本金	1,250,000

問題 69　保証金の支払い　解説 P131

事務所の賃借契約を行い、下記の振込依頼書通りに当社普通預金口座から振り込み、賃借を開始した。仲介手数料は費用として処理すること。

振込依頼書

株式会社ＮＳ商事　御中

株式会社山野不動産

ご契約ありがとうございます。以下の金額を下記口座へお振込ください。

品　物	金額
仲介手数料	¥ 18,000
敷金	¥ 72,000
初月賃料	¥ 36,000
合計	¥126,000

東京銀行千代田支店　当座　1628951　カ）ヤマノフドウサン

支払手数料 差入保証金 支払家賃	18,000 72,000 36,000	普通預金	126,000

問題 70　純利益の繰越利益剰余金への振替　解説 P132

損益勘定の記録によると当期の収益総額は¥940,000で費用総額は¥880,000であった。この差額である当期純利益を繰越利益剰余金勘定へ振り替える。

損　　　　　益	60,000	繰越利益剰余金	60,000

問題 71　株主総会での利益処分　解説 P134

6月25日に開催された株主総会において、繰越利益剰余金¥150,000の一部を次のとおり処分することが承認された。

株主配当金：¥100,000
利益準備金の積立て：¥10,000

繰越利益剰余金	110,000	未　払　配　当　金 利　益　準　備　金	100,000 10,000

● 固定資産編

問題 72　固定資産（土地）の購入　解説 P137

出店用の土地150㎡を１㎡あたり￥120で購入し、購入手数料￥600を含む代金の全額を小切手を振り出して支払った。また、この土地の整地費用￥200を現金で支払った。

借方科目	金額	貸方科目	金額
土地	18,800	当座預金	18,600
		現金	200

問題 73　固定資産（土地）の売却　解説 P138

以前に購入していた土地（帳簿価額￥20,000）を￥19,200で売却し、代金は後日受け取ることにした。

借方科目	金額	貸方科目	金額
未収入金	19,200	土地	20,000
固定資産売却損	800		

問題 74　固定資産等の購入　解説 P139

新入社員向け事務処理用パソコン５台（@￥32,000）と事務用文房具￥8,000を購入し、代金は月末に支払うこととした。また、パソコンのセッティング費用￥12,000については現金で支払った。なお、当社では文房具については支払額の全額を当期の費用として処理する方法をとっている。

借方科目	金額	貸方科目	金額
備品	172,000	未払金	168,000
消耗品費	8,000	現金	12,000

問題75　領収書からの固定資産の購入の仕訳　解説 P140

×3年12月1日に事務所として使用する建物を購入し、次の領収書を受け取った。なお、代金はすでに支払い済みであり、仮払金勘定で処理してある。

領収書

株式会社ＮＳ商事　様

山野不動産株式会社

品　物	数量	単価	金額
事務所建物	1	1,200,000	¥1,200,000
手数料	−	−	¥　60,000
登記料	−	−	¥　10,000
	合計		¥1,270,000

上記の合計額を領収いたしました。

収入印紙　印　円

建　　物	1,270,000	仮　払　金	1,270,000

問題76　固定資産の減価償却　解説 P141

決算において、×３年４月４日に購入した備品（取得原価¥72,000、残存価額ゼロ、耐用年数５年）と、×４年２月１日に購入した建物（取得原価¥850,000、耐用年数30年、残存価額は取得原価の10%）の減価償却を定額法で行う。なお、決算日は×４年３月31日とする。

減価償却費	18,650	備品減価償却累計額 建物減価償却累計額	14,400 4,250

問題77　固定資産の修繕

解説 P142

建物の改築と修繕を行い、代金￥800,000については小切手を振り出して支払った。なお、代金のうち￥500,000については建物の資産価値を高める支出額（資本的支出）であり、￥300,000については建物の現状を維持するための支出額（収益的支出）である。

建物 修繕費	500,000 300,000	当座預金	800,000

問題78　固定資産の売却

解説 P143

備品（取得原価￥240,000、残存価額ゼロ、耐用年数５年）を２年間使用してきたが、３年目の期首に￥120,000で売却し、代金は翌月末に受け取ることにした。減価償却費は定額法で計算し、記帳は間接法を用いている。

備品減価償却累計額 未収入金 固定資産売却損	96,000 120,000 24,000	備品	240,000

● 貸倒れ編

問題79　貸倒引当金の繰入　解説P146

売上債権(受取手形、電子記録債権、売掛金)の残高に対して3%の貸倒引当金を差額補充法で設定する。

残高試算表

受取手形	320,000	貸倒引当金	2,000
電子記録債権	180,000		
売掛金	400,000		

貸倒引当金繰入	25,000	貸倒引当金	25,000

問題80　貸倒れ　解説P147

前期の売上げにより生じた売掛金¥120,000が貸し倒れた。なお、貸倒引当金の残高は¥84,000である。

貸倒引当金	84,000	売掛金	120,000
貸倒損失	36,000		

問題81　償却債権取立益　解説P148

昨年度に得意先が倒産し、その際に売掛金¥400,000の貸倒れ処理を行っていたが、本日、得意先の清算に伴い¥20,000の分配を受け、同額が普通預金口座へ振り込まれた。

普通預金	20,000	償却債権取立益	20,000

売上原価編

問題82　売上原価の算定　解説 P151

決算となり、棚卸を行ったところ、期末商品の金額は21,800円であった。売上原価を算定するための仕訳を示しなさい。

残高試算表

繰越商品	15,200	売上	312,000
仕入	143,000		

仕入	15,200	繰越商品	15,200
繰越商品	21,800	仕入	21,800

仕訳の訂正編

問題83　仕訳の訂正　解説 P153

商品85,000円を掛けで仕入れたさいに、金額を誤って58,000円と処理し、さらに買掛金勘定を未払金勘定で処理してしまっていた。

訂正するための仕訳を示しなさい。

未払金	58,000	買掛金	85,000
仕入	27,000		

ネットスクールは、
書籍と WEB 講座であなたのスキルアップ、キャリアアップを応援します！
挑戦資格と自分の学習スタイルに合わせて効果的な学習方法を選びましょう！

独学合格に強い ネットスクールの 書籍

図表やイラストを多用し、特に独学での合格をモットーにした『とおる簿記シリーズ』をはじめ、受講生の皆様からの要望から作られた『サクッとシリーズ』、持ち運びが便利なコンパクトサイズで仕訳をマスターできる『脳科学×仕訳集シリーズ』など、バラエティに富んだシリーズを取り揃えています。

質問しやすい！わかりやすい！学びやすい!! ネットスクールの WEB講座

ネットスクールの講座はインターネットで受講する WEB 講座。 質問しやすい環境と徹底したサポート体制、そしてライブ（生）とオンデマンド（録画）の充実した講義で合格に近づこう！

ネットスクールのWEB講座、4つのポイント！

1 自宅で、外出先で受講できる！
パソコン、スマートフォンやタブレット端末とインターネット環境があれば、自宅でも会社でも受講できます。

2 ライブ配信講義はチャットで質問できる！
決まった曜日・時間にリアルタイムで講義を行うライブ講義では、チャットを使って講師に直接、質問や相談といったコミュニケーションが取れます。

3 自分のペースでできる
オンデマンド講義は配信され、受講期間中なら何度でも繰り返し受講できます。リアルタイムで受講できなかったライブ講義も翌日以降に見直せるので、復習にも最適です。

4 質問サポートもばっちり！
電話（平日 11:00 ～ 18:00）や受講生専用 SNS【学び舎】*またはメールでご質問をお受けします。

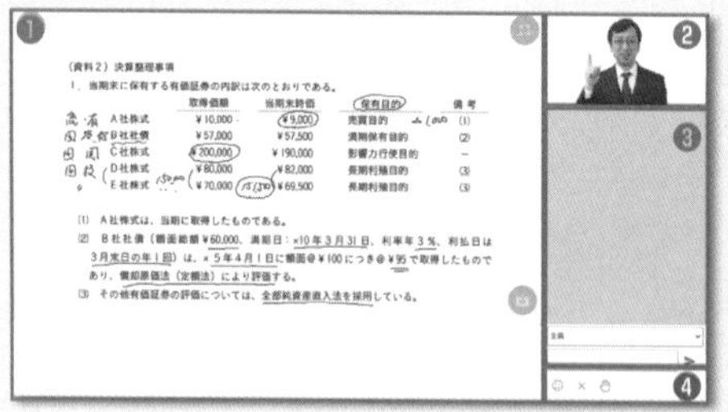

※ 画面イメージや機能は変更となる場合がございます。ご了承ください。

❶ ホワイトボード
板書画面です。あらかじめ準備された「まとめ画面」や「資料画面」に講師が書き込んでいきます。画面キャプチャも可能です。

❷ 講師画面
講師が直接講義をします。臨場感あふれる画面です。

❸ チャット
講義中に講師へ質問できます。また、「今のところもう一度説明して！」などのご要望もOKです。

❹ 状況報告ボタン
ご自身の理解状況を講義中に講師に伝えることができるボタンです。

＊【学び舎】とは、受講生同士の「コミュニケーション」機能、学習記録や最近の出来事等を投稿・閲覧・コメントできる「学習ブログ」機能、学習上の不安点をご質問頂ける「質問Q＆A」機能等を備えた、学習面での不安解消、モチベーションアップ（維持）の場として活用頂くための、ネットスクールのWEB講座受講生専用SNSです。

WEB 講座開講資格：https://www.net-school.co.jp/web-school/

※ 内容は変更となる場合がございます。最新の情報は弊社ホームページにてご確認ください。

全経税法能力検定試験対策講座

ネットスクールでは、本書籍を使用して公益社団法人「全国経理教育協会」が実施する税法能力検定試験３級／２級対策講座をモバイルスクールにて開講します。本書籍とネットスクールが開講する講座を活用して、資格取得を目指してください。

講義回数及び受講料

講　　座	講義回数	模擬試験	受 講 料
法人税法 3級／2級対策	全 28 回	全2回	各講座 10,000円 （税込）
相続税法 3級／2級対策	全 28 回	全2回	
消費税法 3級／2級対策	全 22 回	全2回	

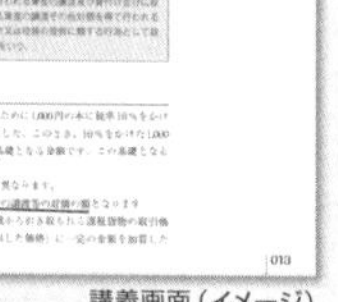

講義画面（イメージ）

講座の特長

特長1　スマホ・タブレットでも視聴できるから場所を選ばない

学校に通ったり、机に向かったりするだけが勉強のやり方ではありません。モバイルスクールであれば、お手持ちのパソコンやスマホ・タブレットがあなただけの教室・問題集になります。

特長2　集中力が維持できる講義時間

1回当たりの講義時間が約 45 分と集中力が維持できる講義時間となっています。
また、学習経験が無い方でも無理なく2級合格ができるカリキュラムとなっています。

特長3　経理担当者としてのスキルアップ

税務署への書類作成、実務での応用的税務処理など、経理担当者としてのスキルアップとして、また、税理士試験受験前の基礎学力確認等にも活用することができます。

詳しい内容・お申込みはこちら

https://tlp.edulio.com/net-school2/cart/index/tab:1198

視聴にともなう通信料等はお客様のご負担となります。あらかじめご了承ください。
また、講義の内容などは予告なく変更となる場合がございます。（2024年1月現在）

全経税法能力検定試験３科目合格はネットスクールにお任せ！

全経税法能力検定試験シリーズ ラインナップ

全国経理教育協会（全経協会）では、経理担当者として身に付けておきたい法人税法・消費税法・相続税法・所得税法の実務能力を測る検定試験が実施されています。
そのうち、法人税法・消費税法・相続税法の３科目は、ネットスクールが公式テキストを刊行しています。
経理担当者としてのスキルアップに、チャレンジしてみてはいかがでしょうか。

◆検定試験に関しての詳細は、全経協会公式ページをご確認下さい。

http://www.zenkei.or.jp/

全経法人税法能力検定試験対策

書名	判型	税込価格	発刊年月
全経 法人税法能力検定試験 公式テキスト３級／２級【第３版】	B5 判	2,750 円	好評発売中
全経 法人税法能力検定試験 公式テキスト１級【第３版】	B5 判	4,180 円	好評発売中

全経消費税法能力検定試験対策

書名	判型	税込価格	発刊年月
全経 消費税法能力検定試験 公式テキスト３級／２級【第２版】	B5 判	2,530 円	好評発売中
全経 消費税法能力検定試験 公式テキスト１級【第２版】	B5 判	3,960 円	好評発売中

全経相続税法能力検定試験対策

書名	判型	税込価格	発刊年月
全経 相続税法能力検定試験 公式テキスト３級／２級【第２版】	B5 判	2,530 円	好評発売中
全経 相続税法能力検定試験 公式テキスト１級【第２版】	B5 判	3,960 円	好評発売中

書籍のお求めは全国の書店・インターネット書店、またはネットスクールWEB-SHOPをご利用ください。

ネットスクール WEB-SHOP

https://www.net-school.jp/ ネットスクール WEB-SHOP 検索

※ 書名・価格・発行年月や表紙のデザインは変更する場合もございますので、予めご了承ください。（2024 年 1 月現在）

日商簿記３級の次は

日商簿記２級に挑戦してみよう！

日商簿記３級の学習を終えた皆さん、日商簿記２級の受験はお考えですか？
せっかく簿記の学習を始めたのであれば、ビジネスシーンにおいて更に役立つ知識が満載で、就転職の際の評価も高い日商簿記２級にも挑戦してみてはいかがでしょうか。

日商簿記２級の試験概要		学習のポイント
試験科目	商業簿記・工業簿記	✓ 新たに学ぶ工業簿記がカギ ➡工業簿記は部分点を狙うよりも満点を狙うつもりで取り組むのが、２級合格への近道！ ✓ 初めて見る問題に慌てない ➡３級のときよりも、初めて出題される形式の問題が多いのも２級の特徴。慌てず解くためには、しっかりと基礎を理解しておくことも大切。
配点	商業簿記 60 点・工業簿記 40 点の計 100 点満点	
合格ライン	70 点以上で合格	
試験日程	（統一試験）6月・11月・2月の年3回（ネット試験）随時	
試験時間	90 分	

※ 試験の概要は変更となる可能性がございます。最新の情報は日本商工会議所・各地商工会議所の情報もご確認下さい。

日商簿記２級で学べること

商品売買業以外の企業で使える知識を身に付けたい		経済ニュースで目にする「M＆A」や「子会社」って何？		仕事でコスト管理や販売計画に関する知識が必要だ	
工業簿記・製造業の会計	サービス業の会計	連結会計	会社の合併	損益分岐点（CVP）分析	原価差異分析

様々なビジネスシーンで役立つ内容を学ぶからこそ、日商簿記２級の合格者は高く評価されます。
最初のうちは大変かもしれませんが、簿記の知識をさらに活かすためにも、ぜひ挑戦してみましょう。

日商簿記２級の試験対策もネットスクールにおまかせ！

日商記２級合格のためには、「商業簿記」・「工業簿記」どちらの学習も必要です。また、１つひとつの内容が高度になり、暗記だけに頼った学習は難しくなっている傾向にあります。だからこそ、ネットスクールでは書籍もWEB講座も、しっかりと「理解できる」ことを最優先に、皆さんを合格までご案内します。

【書籍で学習】

分かりやすいテキストから予想模試まで
豊富なラインナップ!!

新たな知識を身に付ける「テキスト」の他、持ち運びに便利な「仕訳集」、試験前の総仕上げにピッタリの「模擬試験問題集」まで、様々なラインナップをご用意しています。レベルや目的に合わせてご利用下さい。

【WEB 講座で学習】

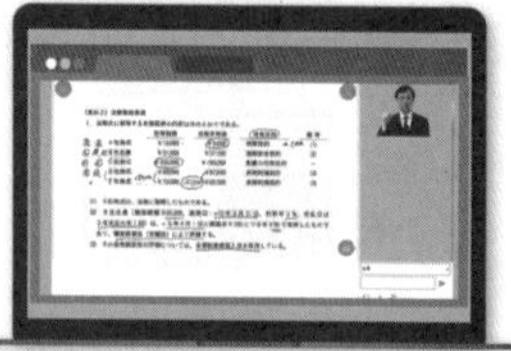

効率よく学びたい方は…
日商簿記２級 WEB 講座がおススメ

試験範囲が広がり、より本質的な理解や思考力が問われるようになった日商簿記２級をさらに効率よく学習するには、講師のノウハウが映像・音声で吸収できるWEB講座がおススメです。

講義中は、先生がリアルタイムで質問に回答してくれます。対面式の授業だと、むしろここまで質問できない場合が多いと思います。

（loloさん）

ネットスクールが良かったことの1番は講義がよかったこと、これに尽きます。講師と生徒の距離がとても近く感じました。ライブに参加すると同じ時間を先生と全国の生徒が共有できる為、必然的に勉強する習慣が身につきました。

（みきさん）

試験の前日に桑原先生から激励の電話を直接いただきました。ほんとうにうれしかったです。ＷＥＢ講座の端々に先生の人柄がでており、めげずに再試験を受ける気持ちにさせてくれたのは、先生の言葉が大きかったと思います。

（りんさん）

合格出来たのは、ネットスクールに出会えたからだと思います。
40代、２児の母です。小さな会社の経理をしています。勉強できる時間は１日１時間がせいぜいでしたが、能率のよい講座のおかげで３回目の受験でやっと合格できました！

（M.Kさん）

WEB講座受講生の声

合格された皆様の喜びの声をお届けします！

本試験直前まで新しい予想問題を作って解説していただくなど、非常に充実したすばらしい講座でした。WEB講座を受講してなければ合格は無理だったと思います。

（としくんさん）

無事合格しました!!
平日休んで学校に通うわけにもいかず困っていましたが、WEB講座を知り、即申し込みました。桑原先生の解説は本当に解りやすく、テキストの独学だけでは合格出来なかったと思います。本当に申し込んで良かったと思っています。

（匿名希望さん）

専門学校に通うことを検討しましたが、仕事の関係で週末しか通えないこと、せっかくの休日が専門学校での勉強だけの時間になる事に不満を感じ断念しました。
WEB講座を選んだ事は、素晴らしい講師の授業を、自分の好きな時間に早朝でも深夜でも繰り返し受講できるので、大正解でした！

（ラナさん）

予想が面白いくらい的中して、試験中に「ニヤリ」としてしまいました。更なるステップアップを目指したいと思います。

（NMさん）

日商簿記2・3級 ネット試験
無料体験プログラムのご案内

日商簿記2・3級のネット試験（CBT試験）の操作や雰囲気に
不安を感じている方も多いのではないでしょうか？
そんな受験生の不安を解消するため、ネットスクールでは
ネット試験を体験できる無料プログラムを公開中です。
受験前に操作や雰囲気を体験して、ネット試験に臨みましょう！

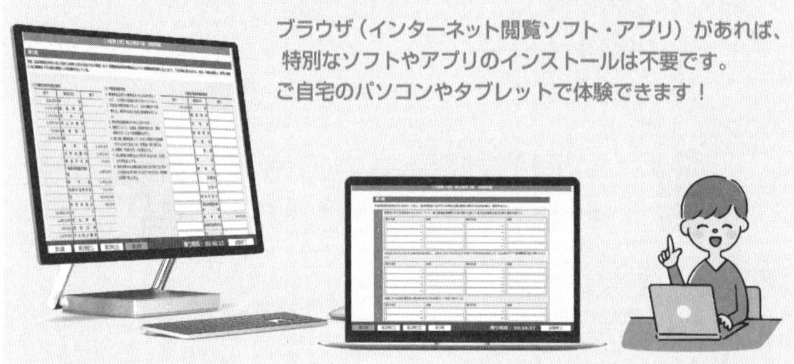

【注意事項】

- 本プログラムは無料でお使い頂けますが、利用に必要な端末・通信環境等に掛かる費用はお客様のご負担となります。
- できる限り実際の環境に近い体験ができるよう制作しておりますが、お使いの端末の機種や設定など、様々な事由により、正常に動作しないなど、ご期待に添えない部分が存在する可能性がございます。また、出題内容及び採点結果についても、実際の試験の出題内容・合否を保証するものではございません。
- 本サービスは、予告なく変更や一時停止、終了する場合がございます。あらかじめご了承ください。
- 詳細は体験プログラム特設サイトに掲載している案内もご確認ください。

日商簿記2・3級ネット試験無料体験プログラム
特設サイトのアクセスはこちら

https://nsboki-cbt.net-school.co.jp/